Jean-Noël Blanc

Tête de moi

Gallimard

La nouvelle *À ton âge* a été commandée
et publiée par la Bibliothèque municipale de Beauvais,
avec le concours de la DRAC de Picardie.

L'homme des cages

Dans un jeu qui se pratique avec les pieds, je suis celui qui a des mains. On ne voit qu'elles, parce que je porte des gants qui me font des paluches de géant.

Je reste sur ma ligne pendant que les autres joueurs courent. J'attends. Parfois, pour me réchauffer, j'applaudis dans le vide, ou je me donne des coups de poing dans la paume. J'entretiens mon outil de travail.

Si je ne veille pas à mes battoirs, je suis fichu. Je suis celui par qui la défaite arrive.

La balle est là-bas, de l'autre côté du terrain. Je distingue mal. La perspective écrase la vision. J'en vois quand même assez pour comprendre que les copains maîtrisent le jeu, j'aperçois les trajectoires du ballon, j'interprète les gestes. Contrôles, amortis, déviations, passes du plat du pied : le terrain est à nous, et nous ne marquons toujours pas.

Je n'aime pas ça. Quand les adversaires finissent par récupérer la balle après avoir longtemps cavalé dans le vide, ils mordent dedans. Ils ont de la revanche au bout des crampons et ils jouent vite. Trop.

Comme maintenant. Les voilà qui rappliquent. À fond la caisse. Contre-attaque, une-deux, à toi à moi. Des flèches. Milou va se trouer, je sens qu'il va se trouer. Je me rapatrie à reculons vers mes six mètres. Les yeux fixés sur la balle, les mains écartées. Je situe exactement les buts derrière moi, je les sens comme si c'était un prolongement de mon corps. Exactement.

Leur avant-centre a hésité. Piétiné. Même pas un quart de foulée, juste une très légère retenue. Ne savait pas s'il tirait ou poursuivait l'action jusqu'à moi. Dans ce laps minuscule, il a perdu sa domination sur le ballon. J'ai bondi. Plongeon sur le côté, les gants levés. Classique. Facile. Il m'a tiré sur la poitrine, il ne pouvait plus agir autrement. J'ai bloqué.

Applaudissements.

Tandis que je me redressais, l'avant-centre m'a tapoté l'épaule en repartant vers son camp. J'apprécie. D'abord qu'il n'ait pas laissé traîner la semelle quand je lui ai plongé dans les pieds, ensuite qu'il m'ait donné cette tape amicale. Nous sommes deux joueurs et le foot est un jeu.

Les gardiens sont des hommes paisibles.

Un jour, l'entraîneur a déclaré à un journal que j'étais « un type au calme impressionnant ». Je me rappelle que dans l'article il y avait un intertitre en caractère gras : « UN MONUMENT DE SÉRÉNITÉ ». C'était moi. Le monument. Et la sérénité.

Il n'y a pas un type plus tendu que moi sur le terrain.

Je suis sur le feu, je bous. La nervosité, elle est là. Enfermée. Avec la rage et la folie et la colère : tout ce qu'il faut pour gagner une partie. Je garde ma peur à l'intérieur. Je suis celui qui ne bouge pas. Je n'ai pas le droit de gaspiller mon énergie. J'emmagasine.

Pendant les quatre-vingt-dix minutes d'un match, je retiens une violence qui ne me servira, montre en main, qu'une soixantaine de secondes au total. Pas plus.

Dans l'équipe, je suis celui qui a le moins de temps pour exploser.

Leur attaque express leur a donné des idées, à ceux d'en face. Ils ont repris du poil de la bête. Les copains commencent à courir après un ballon qui les fuit. Il faut tenir. Ne pas se relâcher.

On recule. Ils attaquent. Je crie. Oleg a oublié un adversaire dans son dos. Je l'appelle. Je hurle. Il ne m'entend pas.

Derrière Oleg, l'ailier gauche adverse est seul. Je vocifère.

Bernard est revenu défendre. Je préfère quand il reprend sa place de libero. Au moins il y a un pilote dans l'avion. Milou, pour ça, je ne lui fais pas confiance : bon sur l'homme, évasif dans le placement, myope aux commandes.

Bernard, lui, tourne la tête à gauche, à droite. Indique du bras l'ailier oublié, derrière Oleg. Recule lentement. Surveille sa défense. Ecarte les bras pour demander l'alignement. Impressionne.

J'aime jouer derrière des arrières intelligents et Bernard a oublié d'être bête. Je me détends. Je souffle.

Quand l'attaque bute sur notre défense, des spectateurs sifflent. Ils croient se moquer de la maladresse de nos adversaires, et ils n'ont même pas remarqué que Bernard n'a pas eu besoin de contrôler, au moment où il a intercepté la balle, pour la transmettre aussitôt vers l'avant. Je suis sûr qu'il savait où il allait adresser cette passe avant même de recevoir le ballon. Parce qu'il joue toujours la tête levée.

Le jeu était dans notre défense et, d'une seule passe, le voilà dans le camp adverse. Le public ne sait pas saluer ce type d'action. J'applaudis Bernard.

Je suis celui qui voit le jeu. Au moins pour ma moitié de terrain, je suis le spectateur le mieux placé du stade.

Les attaquants adverses me font face : je suis aux premières loges pour étudier leur tactique. A leur façon de se déployer, je devine leurs combinaisons. Mes défenseurs me tournent le dos : je les observe depuis les coulisses, et il n'existe pas de position plus juste que les coulisses pour analyser le placement de ceux qui jouent.

Je suis le penseur de la pelouse, et je le fais savoir. Je m'égosille, je gueule : je commande les positions. Je me casse la voix à casser les oreilles de mes arrières. Ils m'obéissent.

Je crie parce qu'il y a toujours plus de trous dans ma défense que de défenseurs pour les boucher. Je crie parce que j'ai la trouille. Et je me mets en colère parce qu'on ne transporte pas assez vite le danger dans l'autre moitié du terrain. Loin.

Je suis celui qui reçoit la plus grosse dose de peur, et je suis le seul à savoir pourquoi.

L'équipe a repris sa domination. La balle est dans le camp adverse. On joue bien, on tient le match, on exhibe notre maîtrise. Le ballon circule. Bravo. Et on ne marque pas.

Les types, en face, on aurait dû les manger depuis longtemps. On campe chez eux depuis le début de la partie, ils ne prennent plus l'air, ils ont la tête dans le sac, ils ne peuvent s'offrir qu'une contre-attaque de temps en temps, on les presse sur leur but, et on ne marque pas.

Ce sont des jeunots. Des bleus. Une équipe de seconds couteaux. Nous, nous alignons des briscards. Et des stars. Des internationaux. La fine fleur. Et nous ne marquons pas.

Quand on domine sans planter un but, on finit toujours par se faire prendre en contre, et au bout du compte, quand ça se passe comme ça, c'est toujours la faute du gardien.

J'avance au-delà de la surface de réparation. Je sautille. J'exécute des moulinets avec mes bras. Je garde mes muscles chauds. Au cas où. Et j'observe le match. Nous ne progressons toujours pas.

Le dernier quart d'heure vient de commencer.

On perd la balle. Contre-attaque. Ils filent vers moi. Je reviens en courant. Je ne crie pas, je cavale.

Oleg, Bernard, Moïse, Milou : ma garde est en place. Je ne recule plus. Je crie.

Je ne crie plus. Je regarde la balle. Il va tirer. Ce petit crétin va tirer. Un tripoteur de balle. Il pivote. Cherche son pied. Un droitier. Il va déclencher. Sur ma gauche, ras de terre. Je plonge. Bras tendus. Corps tendu. Doigts tendus.

Corner.

C'était un tir vicieux. Foireux. Un poison. Pas pu bloquer. Préféré assurer en détournant. Me relève aussitôt. Bernard vient me taper sur les fesses. Bravo. Merci. Je boxe l'intérieur de mes mains. Gagne le deuxième poteau : là d'où je peux tout observer. Regarder partout. Constater nos failles. Hurler à Milou d'occuper le premier poteau. Me ramasser sur moi-même. Prêt à bondir. A gicler dans le tas. Vite. Une boule de nerfs.

Il le botte loin, son corner. Plus loin que les six mètres à vue de nez. Encore plus loin. Tant pis, j'ai jailli. Je bouscule quelqu'un, je ne sais qui. Je fonce. Presque aux seize mètres. Je saute. L'autre, devant, une teigne. Déjà repéré. Un méchant. Je lève le genou en sautant. Et la semelle. T'approche pas. Il a peur. Je chope la balle. Capturée. Je la garde au chaud. Le public applaudit.

Il me dit, le teigneux, attends la prochaine fois. Il n'a pas apprécié que je lui flanque la pétoche. Il a eu peur de mes crampons. Il m'insulte. Je place la main sur sa poitrine, je souris, jamais je n'ai eu l'air aussi placide. J'attends que l'arbitre vienne lui-même faire le ménage. Peut-être même lui donner un avertissement.

Grimace, vieux singe, je m'y connais. C'est moi qui ai commis la faute et c'est l'avant qui va trinquer.

Les joueurs de champ sont des gamins et j'ai l'âge d'être le père de certains. Trente-six ans. Je suis le vieux.

Les gardiens sont souvent des vieux. On dit qu'ils ont besoin de maturité, et que les années les bonifient. On rappelle que Gordon Banks, Lev Yachine, Dino Zof ont joué longtemps et qu'ils se sont améliorés en vieillissant : plus d'assurance, une meilleure vision du jeu, un sens de l'anticipation plus affirmé.

J'atteins maintenant l'âge qu'ils avaient quand ils ont arrêté leur carrière et j'en ai marre. C'est mon dernier match et je veux le gagner.

Je suis le vieux et je n'ai pas envie d'être serein.

Dégagement. Sur l'aile. Plus que six minutes. Zéro à zéro. Contre une équipe de tendrons. La balle dans les pieds de Saumont. Avance, petit, avance.

J'ai quitté mes seize mètres cinquante pour mieux voir l'action.

Il reste sur son aile. C'est bien. Provoque son arrière. Crochète. File. S'enfonce. A besoin de soutien. Pas le laisser seul. J'appelle Cornière. Lui montre qu'il faut aller en soutien.

Je m'approche de la ligne médiane.

Saumont pour François. On garde le ballon. François pour Fournel. Une remise en retrait, quelle idée, on doit avancer. Fournel lève la tête. Il voit bien le jeu, Fournel. Allume sur l'autre aile, en profondeur. Le jeu prend de la vitesse.

Je suis sur la ligne médiane.

On recommence la passe à dix. On manque de dynamisme, on ne passera pas. Nos adversaires, personne n'ose leur rentrer dans le lard.

Le grand panneau électronique, au-dessus des tribunes, indique qu'il ne reste qu'une petite poignée de minutes. Une toute petite poignée.

Percer. Perforer. Percuter.

En face, ils sont cuits. Prêts à craquer. J'ai passé tout un match à les observer, je sais qu'ils sont à la limite.

Je suis dans leur camp.

Bernard me crie que je suis fada. Il se frappe la tempe, indique d'un grand mouvement de bras la direction de mes buts. Il gueule.

Je hausse les épaules. Je souris.

Et d'un coup, je démarre. Droit devant. Dans le camp adverse. Je cours et j'avais oublié comme c'est bon de sentir à chaque foulée la terre s'enfoncer sous les crampons. Je cours et j'avais oublié comme c'est exaltant de manger de l'espace. Je cours et je n'ai plus ressenti un émerveillement pareil depuis que j'ai quitté les rangs des juniors. Je cours et j'appelle la passe. Bras levé. Main tendue. Le gant, au bout, brandi comme un signal.

Chez les juniors, j'étais intérieur gauche. Jusqu'à ce qu'un entraîneur me colle dans les buts. Dans les cages.

François m'a repéré. Il a le ballon. J'insiste. Il ouvre sur moi, sans y croire. Je gicle pour récupérer sa passe. Un arrière aussi. J'arrive le premier. Accélère. Plein gaz, à fond les manettes. L'autre ahuri, devant, qui croit me bloquer : petit pont. Passez muscade. On crie autour de moi. Les buts adverses, je les aperçois sur ma droite.

Mes buts à moi, une fois qu'on m'y a collé, on ne m'en a jamais sorti. Jamais.

J'ai trente-six ans et j'ai passé dix-huit ans entre les bois et on raconte que je suis le meilleur du pays à mon poste et aujourd'hui je m'évade. C'est aussi simple que ça : je m'évade.

Leur gardien bouche mal l'angle de tir. Erreur de placement. Faute de jeunesse. Je feinte la passe au centre. Il bascule sur ses appuis. Entre le montant du but et lui, il y a place pour loger la balle. Je shoote.

Je n'ai même pas besoin de vérifier la trajectoire pour savoir qu'elle va y entrer, cette balle, dans ses cages. Un avant possède ce genre de certitudes et je suis un avant. Je tourne le dos, j'ôte mes gants, je les lance loin, très loin.

Ils ne sont pas encore retombés que l'ovation jaillit.

Une histoire triste,
n'est-ce pas?

Le type pointe son cigare dans la direction du court en terre battue où la partie a déjà commencé, et il vous dit, cette fille, là-bas, celle qui vient de servir, vous voulez que je vous raconte une histoire triste?

La joueuse qu'il désigne porte un short noir, très court, et son débardeur blanc est taillé de façon à faire ressortir les muscles ronds de ses épaules. Quand elle casse le buste en avant pour frapper une balle envoyée au ras du sol, ses jambes semblent d'une longueur étonnante.

Le type porte le cigare à ses lèvres et il dit, c'est une championne.

Il se reprend, retire son cigare, et dit, c'était une championne. Et aussitôt il ajoute, j'ai pensé que c'était une championne.

La fille se tient maintenant en fond de court, et vous pouvez constater combien elle occupe bien l'espace. Son jeu est plein d'assurance. Elle donne l'impression de pouvoir reprendre chaque balle qu'on lui adresse, haute ou basse, franche ou liftée, avec toujours la même aisance et la même sérénité. Si vous aviez à parier sur l'issue du match, vous la donneriez volontiers gagnante.

Le type observe le jeu pendant quelques minutes. Il se tait. Il fume lentement, en veillant à ne pas laisser son cigare chauffer, et, de temps en temps, il l'éloigne de sa bouche, le garde devant lui entre trois doigts, le considère avec gravité pendant qu'il remue les lèvres comme s'il mâchait le vide pour mieux savourer le goût du tabac.

Il porte deux chevalières à la main droite. Deux également à la main gauche. En or. Des chevalières lourdes et ouvragées.

Il souffle la fumée et il dit, dès la première fois que j'ai vu cette poupée j'ai voulu l'avoir dans mon cheptel. Vous savez ce qu'elle avait de plus que les autres ? Elle avait l'œil. Vous savez ce que ça veut dire ? Quelqu'un qui a l'œil est capable de saisir d'un seul coup les trajectoires, les vitesses, la position de l'adversaire, les lignes du court. Toutes les données du jeu d'un seul coup. Instantanément. Et ça, c'est quelque chose qui ne s'apprend pas. On a cette qualité ou on ne l'a pas, point final. Cette gamine possédait ce don. À moins de treize ans, elle avait déjà de bonnes mains, une bonne coordination, une jolie frappe. Mais par-dessus tout elle avait cet œil.

Vous observez ce qui se passe sur le court. La fille semble à son affaire dans ce premier set. Elle a du métier. Après avoir imposé de longs échanges en fond de court, elle monte au filet pour conclure le jeu. Sa course est résolue et limpide. Peut-être trop prévisible aussi. Son adversaire en profite pour la lober.

Le type laisse glisser ses fesses sur le siège et se retrouve presque assis sur les reins. Il souffle vers le ciel la fumée de son cigare, et sans vous regarder il dit, le tennis n'est pas un sport pour les enfants de chœur. Puis il secoue délicatement la cendre pâle de son cigare.

Il attend quelques échanges avant de reprendre la parole, et il dit, quand j'ai voulu signer le contrat ses parents renâclaient, elle n'avait pas treize ans, mais quoi, qu'est-ce qu'ils y connaissaient, ils n'avaient pas à s'inquiéter pour l'avenir de leur morveuse. Sur-tout avec un chèque d'un tel montant à la clé.

La position un peu avachie qu'il a adoptée l'oblige à baisser les paupières de façon exagérée pour suivre la partie. La fille vient d'ajuster un *passing shot* qui fait applaudir les spectateurs.

Il dit encore, j'ai aligné les dollars, je savais ce que je misais, une gamine avec un œil pareil c'est de l'or.

Et j'ai promis. Les parents voulaient une garantie sur les études de leur fille ? Je leur en ai donné, ça ne coûte rien de promettre. Des garanties sur la morale, l'environnement, toutes ces choses-là ? Ils ne pouvaient pas mieux tomber. Dans mes stages d'entraînement, c'est interdictions tous azimuts. Pas de petit copain, pas de sorties, pas d'alcool, pas de tabac, pas de télé. Rien que du boulot. L'entraînement à la dure. Voilà ce que je propose à mes petites chéries.

Un murmure monte soudain dans le public. Sur le court, la fille en short noir vient de manquer un coup droit qui paraissait à sa portée. Le type au cigare soupire, il dit, j'étais sûr de faire d'elle la numéro 1.

Il prend appui sur les accoudoirs pour retrouver une assise plus ferme, et vous remarquez qu'il a effectué le mouvement sans forcer. Vous avez vu les muscles de ses avant-bras se dessiner sous la peau bronzée que laisse à nu le polo de grande marque.

La fille en short noir ajuste un revers presque parfait et regagne la ligne de fond de court pour attendre la remise en jeu suivante. Elle sautille sur la pointe des pieds.

Le type au cigare dit, j'aime bien travailler avec les filles, elles sont plus dures que les garçons. Plus coriaces et plus teigneuses. J'ai vu des poupées qui allaient vomir d'épuisement dans les bâches et qui revenaient pour continuer l'entraînement.

Vous ne commentez pas. Vous suivez le match. La fille perd le dernier jeu et le set, et part s'asseoir à côté du juge-arbitre. Elle enfouit son visage dans une serviette blanche et demeure penchée en avant, les coudes sur les genoux, la tête cachée dans la serviette. Vous fixez ses épaules, vous ne parvenez pas à être sûr de ce que vous apercevez. Vous vous demandez si elle soupire ou si elle pleure.

Le type au cigare secoue la tête et il dit, vous voyez, quand elle fait une boulette, elle va s'asseoir bien gentiment sur sa petite chaise et elle repasse sa leçon, tu aurais dû agir comme ceci, comme cela, tu devrais assurer tes coups du fond de court et patati et patata. Une bonne élève. Je vous avais prévenu, c'est une histoire triste. Vous venez?

Il descend les gradins sans se presser. Vous le suivez. Il a l'attitude un peu trop désinvolte des gens célèbres qui traversent une foule en s'efforçant d'avoir un air décontracté parce qu'ils savent à chaque instant que tout le monde les observe.

Sous la tente réservée aux personnalités, il choisit d'autorité une table située en plein milieu. Il s'assied le premier, il commande une boisson gazeuse et un whisky avant de dire, et vous, vous prenez la même chose n'est-ce pas, parfait, la même chose pour monsieur.

Son cigare est loin d'être fini. Il le fume en silence en attendant les consommations. Sous la toile de tente rayée de vert et de blanc, la lumière a quelque chose de liquide. Les hommes qui se tiennent là portent tous des tenues très claires, et les seules taches de couleur sont données par les robes de deux femmes, qui, à l'écart, sirotent leur thé. Tout le monde parle en retenant la voix. Les annonces des haut-parleurs ne parviennent ici qu'étouffées et lointaines, et même les réactions du public semblent atténuées.

Le type au cigare prend le temps de doser lui-même son mélange et de boire quelques gorgées avant de dire, il n'y a pourtant pas de mystère pour fabriquer un champion.

D'un claquement de doigts, il réclame un cendrier, y dépose la cendre de son cigare. Elle forme un cylindre parfaitement régulier d'un gris très pâle. Il l'examine avec un petit sourire de satisfaction. Puis il dit, dans les chambres de mes poulettes, au centre d'entraînement, pas de poster de vedette de la chanson, pas de carte postale du petit copain, pas de photo de la famille. Mais le règlement du centre. Ce que j'appelle mes Dix Commandements. Voilà tout ce qu'elles ont le droit d'afficher sur le mur. Ce règlement. Et le tableau des entraînements et des compétitions.

Il reprend son cigare et le tête un moment pour retrouver le bon tirage. Cet effort le contrarie. Il fronce les sourcils. Il ne s'occupe que de son cigare jusqu'à être satisfait de la combustion, puis il dit, lever à sept heures, et pour commencer la journée, on balaye les lignes des courts. Ensuite, on bosse. Musculation pour les uns, technique pour les autres. Six heures par jour de technique. La même, pendant trois semaines, selon les points qu'il faut améliorer. Trois semaines à claquer des *smashs*. Trois semaines à ne renvoyer que des revers. Et ainsi de suite. Du travail de la sueur et du sang et rien d'autre que ça.

Il répète, du travail de la sueur et du sang. Puis il rit. C'est le rire d'un homme fier de ses formules, fier de sa réussite et fier de tout l'argent qu'il gagne.

Si vous voulez modifier un truc, dit-il, un seul truc, par exemple la position du pouce sur le manche de la raquette, vous devez répéter la même frappe et la répéter et la répéter et la répéter encore jusqu'à ce que le problème soit réglé. Il contemple de nouveau son cigare qu'il a saisi entre le pouce, l'index et le majeur de sa main droite, et il dit, en dessous de trente mille fois vous pouvez considérer que vous n'avez pas travaillé.

Il dit aussi, je veux que mes gamines chialent tous les soirs. Vous savez, dans mes stages d'entraînement j'en ai maintenant qui ont huit ans. Tous les soirs elles chialent en demandant de rentrer à la maison.

Il rit et il dit encore, moi, pour un million de dollars je veux bien souffrir comme elles souffrent, et vous ?

Il caresse du bout de l'index le mégot de son cigare et il dit, à dix-sept ans, une de mes joueuses avait déjà gagné cinq tournois du grand chelem et avait empoché un peu plus de dix millions de dollars.

La chevalière à son majeur gauche a l'éclat trop brillant d'un bijou neuf, et il dit, et l'autre bonne élève, là derrière, elle aurait pu elle aussi devenir une championne et aligner le gros paquet. Il désigne d'un geste du pouce, par-dessus son épaule, la fille en short noir qui, là-bas, est peut-être en train de perdre son match sur le court central.

Il tire une dernière bouffée avant de placer le cigare dans le cendrier, bien à plat sur le fond, avec délicatesse. Il dit, ne croyez pas que je suis un monstre, je ne tue pas mes pisseuses à l'entraînement. De temps en temps je leur fais disputer quelques compétitions. Ça les amuse. Et puis je peux voir ce qu'elles ont dans les tripes. Je les observe pendant le match. Celles qui entrent sur le court avec l'envie de bouffer leur adversaire, c'est bon. Celles qui balancent des missiles parce qu'elles veulent atomiser la fille qui est de l'autre côté du filet, c'est très bon. Et celles qui bousillent leur raquette en la claquant sur le sol et qui vont bouder dans leur coin parce qu'elles ne supportent pas de perdre, c'est très très très bon.

Vous finissez votre verre, vous le reposez, et vous regardez dans les yeux le type qui est assis en face de vous. C'est l'un des entraîneurs les plus célèbres du monde, peut-être même le plus célèbre. Vous pensez à la fille au short noir, et vous dites, et elle ?

Il vous adresse un petit sourire en coin, et il dit, je n'ai jamais vu cette connasse casser sa raquette.

Il soupire et il dit, quand elle entre sur le court, elle n'en veut à personne, c'est comme si elle n'avait jamais su ce que c'est que la haine. Elle a l'œil, c'est vrai, ça on ne peut pas le lui ôter, et elle a tout ce qu'il faut pour devenir une grande. Mais cette gourde est gentille, incurablement gentille. Elle veut seulement jouer. Se faire plaisir et jouer, et qu'est-ce que vous voulez que je foute de ça ?

Il a un grand rire généreux, et il dit, et voilà, je n'ai pas le choix, il ne me reste qu'à la jeter.

Il hoche la tête, et il dit, c'est une histoire triste n'est-ce pas ? Tant pis, une de perdue, dix de retrouvées, vous voulez un cigare ?

Il tire de sa poche un étui d'or, il vous le tend, et il dit, servez-vous, ce n'est pas ça qui manque, il suffit de se baisser pour en ramasser.

Il vous tape sur l'épaule avant de vous entraîner vers le court. Et sans même se retourner, il vous dit, on va d'abord aller la voir se faire ratiboiser, cette petite conne, et après je vous montrerai une de mes protégées. Elle a onze ans, je l'ai eue à sept ans, c'est un monstre. Attendez trois ans et quand elle va débarquer sur le circuit, elle va toutes les éparpiller. Et croyez-moi, si elle gagnait autant de dollars qu'elle a versé de larmes dans mon centre d'entraînement, elle aurait déjà une sacrée belle carrière derrière elle.

Quand il se tourne vers vous, il vous adresse un grand sourire jovial d'homme heureux de vivre.

Graine de vainqueur

Moi aussi, comme tout le monde, j'ai eu une tante Pierrette.

La mienne, de tante, était veuve et rustique. Forte de carrure, forte de poitrail, forte en gueule, elle avait le cheveu court, la joue rubiconde, le sein généreux et la voix profonde : une femme qui avait du coffre. Je passais chez elle une partie de l'été, pour des vacances à la campagne.

Elle me houspillait dès mon arrivée.

– Qu'est-ce que tu fiches assis sur une chaise ? File au jardin, va prendre le soleil, je veux que tu repartes d'ici rouge comme une tomate.

Et gras comme un potiron. Elle me gavait. Gratin de pommes de terre, poulet, carottes au jus, laitue, purée, fromage frais, crème, fraises.

– Tante Pierrette, je n'en peux plus, je n'ai plus faim.

– Je voudrais bien voir ça. À ton âge, on a toujours faim.

Elle m'imposait une rallonge. Une louche de ratatouille avec deux œufs pour la décoration.

– Je t'assure que je ne pourrai pas finir.

– Les légumes, ça se mange sans faim. Surtout ceux-ci : ils viennent du jardin.

Pas moyen de chipoter. J'ingurgitais. En sortant de table, je me traînais.

– À la bonne heure, tu as sommeil, va donc faire une sieste.

Elle m'accompagnait jusqu'à la chambre. Une grande pièce sonore. Murs de plâtre peint, plancher de bois, commode en fausse loupe de noyer, lit de cuivre, lampe tulipe commandée par une poire, chaise de paille, et, pour la décoration, deux photographies d'ancêtres dans des cadres ovales.

Elle allait tirer les volets. Ses pas claquaient sur le plancher nu. Elle portait des sabots.

– Dors vite, canaille.

Je m'enfouissais sous un édredon de plumes. Le sommier grinçait. Les volets découpaient dans l'ombre de longues tranches de lumière blonde. Au mur, les deux ancêtres me regardaient de travers. Je fermais les yeux.

J'entendais ma tante brailler au rez-de-chaussée.

– Pas tant de bruit, malheureuse, le petit se repose.

Elle papotait avec une commère, leurs voix s'éloignaient, je percevais encore des bouts de conversation.

– Mon Dieu, ce petit asticot, pas plus épais que mon doigt, je me demande ce que ma belle-sœur fabrique, il est maigre comme un Italien.

Un Italien, pour elle, c'était un fagot de brindilles.

Je m'endormais au milieu de compliments lointains.

Au réveil, je ne savais plus où j'étais. Je m'attendais à retrouver mon cadre habituel, l'entresol, le plafond bas, le paravent, le ronronnement de la machine à coudre, la lumière poussiéreuse venue de la rue étroite, la tapisserie à fleurettes où je déchiffrais mes monstres habituels avant de m'endormir, et c'était une odeur de foin, l'aboi lointain d'un chien, des caquets de poules dans un jardin voisin, le drap rêche aux plis cassants, et les deux ancêtres dans leur cadre noir qui me dardaient un œil mauvais.

– Tu es réveillé ?

Tante Pierrette entrait en fanfare. Elle aurait tiré les morts du tombeau.

– Je ne te réveille pas, au moins ?

– Non, je viens juste d'ouvrir les yeux.

– Alors debout, on n'a pas que ça à faire.

Elle m'entraînait dans la cuisine, m'asseyait à la grande table, coupait dans le pain de campagne une

tranche plus large que mes deux mains réunies, éta-
lait là-dessus une couche de confiture d'abricots
truffée d'amandes.

Ensuite, nous partions. Tante Pierrette enfourchait sa bicyclette. C'était une grande haridelle de
bicyclette, plus lourde que celle du facteur mais
dépourvue des garde-boue brillants et des lumi-
gnons réglementaires qui donnaient tant d'allure et
de prestige à l'engin de l'employé des Postes. Elle
offrait néanmoins l'avantage d'un cadre de dame
qui permettait à ma tante de pédaler à l'aise malgré
ses jupons, ses jupes et son sarrau.

– Allez, saute sur le tansad.

Je m'installais tant bien que mal sur le porte-
bagages. Des barres d'acier froid coupaient mes
cuisses nues. Je trônais au-dessus d'un pneu demi-
ballon rouge brique.

Tante Pierrette retroussait ses jupes, les rassem-
blait d'un geste vif entre ses cuisses, lançait la
machine d'un grand coup de reins, en danseuse.
L'équipage tanguait un brin au démarrage, puis nous
prenions notre train à travers les rues du village.
Nous brinquebalions avec une lenteur qui, à mon
avis, n'était pas dépourvue de noblesse.

J'étais bien. Je sentais le vent sur les jambes, j'ad-
mirais tante Pierrette. Son postérieur écrasait la selle
sous mon nez, une fesse à gauche, une fesse à droite,

et ainsi de suite à chaque coup de pédale. Je devinais là-dessous des remuements intéressants.

– Accroche-toi aux ressorts de la selle, tu tiendras mieux.

Je changeais mes prises, plaçais les mains sous le siège de cuir, à deux doigts de ces fesses qui dansaient en cadence, à droite, à gauche, à droite, à gauche.

Je découvrais que les femmes avaient des formes.

Celles de ma tante, à vrai dire, m'alarmaient un peu. Leur volume m'intimidait. Quand même, elles m'intriguaient.

L'accident, nous l'avons eu pendant que je lorgnais en douce ces attributs considérables. Je n'ai rien vu de ce qui s'était passé, je n'ai pas compris les causes, je n'ai connu que les conséquences. Je me suis retrouvé assis dans l'herbe du bas-côté. La bicyclette était plus loin. Ma tante plus loin encore. Je l'ai vue se relever, saisir l'engin par le guidon comme si elle le tirait par l'oreille, le redresser d'une main, tendre le poing vers des galapiats qui disparaissaient dans l'ombre d'une ruelle, appuyer la bécane contre un mur, revenir enfin vers moi.

Je n'avais rien de cassé. J'étais seulement épluché sur tout le côté gauche. Des éraflures sur la cuisse, l'avant-bras écorché, une collection de gravillons sous la peau. Du sang mêlé d'humeur me barbouillait la jambe et le bras. Pas de quoi pleurer quand on est un homme. J'étais persuadé d'en être un. Je conservai l'œil sec.

– Viens, je ne veux pas te rendre à ta mère tout démantibulé. On va chez le pharmacien.

– Je te jure que je n'ai rien. Ce n'est qu'une estafilade.

J'avais lu des illustrés et je savais quels mots employer et comment me comporter dans les situations difficiles.

– Pas de gros mots, on va vérifier ça à la maison puisque le pharmacien te fait peur.

Nous sommes rentrés à faible allure. Ma tante pédalait moins vite qu'à l'aller, et j'avais l'impression que ses fesses étaient moins symétriques. J'ai penché la tête sur le côté pour observer. J'ai vu son coude. Il saignait.

– Tante Pierrette, tu es blessée toi aussi?

– Ne t'inquiète pas, ce n'est qu'un bobo.

Elle devait lire les mêmes illustrés que moi.

Dans la cuisine, elle m'a fait mettre debout sur la table. Elle a abaissé la suspension. Elle tenait à ne rien oublier dans son tour du propriétaire. Cuisse, genou, mollet, cheville.

– Ne bouge pas. Je vais te nettoyer au savon de Marseille. Ça brûle un peu mais tu ne vas pas en mourir.

Elle m'a récuré les plaies une à une. Je serrais les dents. J'espérais ressembler à un cow-boy attendant sans se plaindre que le toubib ôte une flèche cheyenne plantée dans sa jambe.

– Et l'autre côté ? Non, rien du côté droit. Et l'épaule ? Les côtes ? Soulève ta chemise. Et la hanche ? Baisse ta culotte.

Je me suis figé. On n'avait pas l'habitude, dans ma famille, de quitter sa culotte quand on se tenait debout sur une table de cuisine.

– J'en ai vu d'autres, tu sais, laisse-moi regarder.

Je me suis déboutonné. Ma culotte est tombée sur mes chevilles. Je me suis déhanché, et j'ai même relevé un peu le bas de mon slip pour prouver que là au moins j'étais intact.

– Tu as un bleu. Un gros bleu. Il s'étend. Ne bouge pas.

Elle a saisi mon slip, tiré d'un seul coup. J'ai placé mes mains en conque, pour me protéger par les moyens du bord.

Elle a longuement inspecté le bleu.

– Ne bouge pas.

Elle a farfouillé dans le buffet, sorti la bouteille d'Arquebuse. La liqueur sentait fort. Ce n'était pas une odeur de pharmacie. Elle a humecté un chiffon, m'a tamponné la peau. J'attendais, la hanche dardée et les mains en cache-sexe.

— Tu as l'air malin, avec tes mains comme ça, tu as peur que je te morde?

J'ai écarté les mains, lentement.

— Regarde-moi cette petite bistouriquette, si ce n'est pas mignon. Tu as un joli sifflet, tu sais, il ne faut pas en avoir honte. Quand on a un petit Jésus comme ça, ce n'est pas un péché de le montrer. Surtout à ton âge. Plus tard, je ne dis pas, mais là, allons donc, c'est bien permis.

J'écoutais ma tante, elle employait des mots qu'on ne prononçait jamais chez moi, j'enrichissais mon vocabulaire. Je rougissais, et je me rendais compte que dans certaines circonstances rougir n'est pas si désagréable que ça.

— Allez, remets vite tes affûtiaux et va jouer dans le jardin.

Elle s'est détournée. Ma bête à Bon Dieu ne l'intéressait plus. Je me suis rhabillé presque à regret, j'ai sauté de la table.

— Je ne veux pas aller dans le jardin : je veux que tu m'apprennes à faire du vélo.

J'ai appris dans la cour, sur la terre battue, entre les poules et les pots de géraniums. Il m'a fallu trois jours. Le premier jour j'ai raté, le deuxième j'ai échoué, et le troisième, j'ai pu rouler tout seul jusqu'à la remise : sans l'aide de qui que ce soit, comme un grand, j'ai foncé droit sur le mur.

Une bosse, pas de sang. Tante Pierrette n'aurait pas à me soigner dans la cuisine. J'ai inspecté mes jambes, relevé le bas de ma culotte pour examiner ma hanche, hésité, puis je suis remonté sur la bicyclette.

Le quatrième jour, j'ai su prendre un virage. A la fin de la semaine, j'effectuais dans la cour des tours de cheval de manège. Le lendemain je me suis élancé dans la rue du village.

Ma tante m'avait équipé en conséquence. Elle m'avait passé autour du cou le cordon d'un sifflet à roulettes.

– Siffle dès que tu sens un danger, il n'y a rien qui fait fuir les hommes et les poules comme un sifflet de gendarme.

Je ne savais pas encore lâcher le guidon d'une main, j'ai coincé le sifflet entre mes dents, et à nous deux le vent du large.

Les cahots m'ont fait tressauter : sifflet. J'ai soupiré : sifflet. J'ai accéléré, ma respiration s'est précipitée : sifflet. J'ai pédalé plus vite dans la courte descente : sifflet. Je ne parvenais pas à freiner, j'ai eu peur : sifflet. Je m'époumonais.

Je me suis arrêté après la pente, dans la montée devant la boucherie. J'ai posé le pied par terre, poussé la bicyclette pour effectuer un demi-tour, et je suis reparti.

Descente : sifflet (peu rassuré). Replat : sifflet (soulagé). Montée : sifflet (saccadé). Arrivée dans la cour de la ferme : sifflet (triomphal). Nouveau départ : sifflet (guilleret). Descente : sifflet (inquiet).

J'ai cassé les oreilles du village pendant deux heures.

J'y serais peut-être encore si je n'avais pas voulu tenter une expérience : j'ai lâché le guidon pour retirer le sifflet de ma bouche.

J'étais dans la descente. Le vélo a commencé à vibrer. La roue avant n'en faisait qu'à sa tête. L'engin s'emballait, je ne maîtrisais plus rien, j'ai fermé les yeux. La roue avant s'est mise à l'équerre, la bicyclette a basculé cul par-dessus tête. J'ai suivi le mouvement.

J'ai mis du temps à me rassembler. Je prenais des précautions. J'avais mal un peu partout. Des autochtones sont venus aux nouvelles. Ils ne paraissaient pas m'en vouloir outre mesure de l'aubade au sifflet que je leur avais donnée deux heures durant.

– Rien de cassé ?

Je me suis relevé.

– Je crois que non, je peux marcher.

– Je ne parle pas de toi, fiston, je parle du vélo.

Je les ai laissée ausculter la machine. Ils discutaient entre eux, échangeaient des diagnostics. J'entendais pour la première fois des mots qui me semblaient techniques et virils. Rayons, jantes, jeu de direction, fourche, axe du pédalier. J'avais l'impression d'être accepté parmi les hommes.

Ils m'ont rendu la bicyclette.

– Elle n'a pas grand-chose, la roue à dévoiler, pas plus.

Je suis rentré seul à la ferme. Je tenais la bicyclette par les cornes et je m'y appuyais pour avancer : une douleur aiguë me traversait la cuisse, j'avais besoin d'appui.

J'ai attendu d'être dans la cour pour vérifier les dégâts. Dans ma chute, j'avais heurté le guidon et la poignée de frein avait pénétré dans le muscle de la cuisse. Je distinguais sous ma peau une forme violette, allongée, profondément enfouie. Du sang gouttait à l'entrée de la plaie, là où l'acier avait percé la chair.

La blessure était tellement grave que je ne saignais presque pas.

J'ai boitillé jusqu'à la cuisine. Je retenais mes larmes. Un homme ne pleure pas. Encore moins un héros qui se prépare à être amputé sur le champ de bataille. J'étais prêt à passer sur le billard devant tante Pierrette.

– Qu'est-ce qui t'est arrivé ? Fais-moi voir ça.

J'ai jeté les yeux sur la table de la cuisine. Le plateau était débarrassé. La suspension était à portée de main. Une chaise se trouvait même à proximité : ce ne serait pas trop dur de me jucher sur le plateau. Et d'attendre l'examen.

Tante Pierrette m'a ausculté sur le plancher des vaches. Elle a émis un sifflement d'homme.

– C'est vilain, dis donc, tu n'y es pas allé de main-morte.

Elle inspectait ma cuisse, osait à peine y porter les doigts.

– Bon, on va nettoyer ça.

Elle s'est dirigée vers le buffet.

– Appuie-toi contre la table, avance ta cuisse.

Elle était penchée sur moi. J'ai fermé les yeux. Mes larmes sont venues, je n'ai pas été capable de les retenir.

– Tu pleures ?

J'ai ouvert les yeux, j'ai dévisagé tante Pierrette. Je savais que j'avais les yeux rouges et que je ne parvenais plus à retenir les mouvements de ma bouche.

– Non, je ne pleure pas.

J'ai reniflé. J'en ai rajouté un peu. J'espérais qu'elle estimerait assez grave ma blessure à la cuisse pour me soigner comme l'autre fois. Qu'elle me ferait monter sur la table. Qu'elle me reluquerait en détail pour vérifier si je n'étais pas touché ailleurs. À un autre endroit.

Je ne demandais qu'à apprendre d'autres mots pour continuer à enrichir mon vocabulaire.

J'ai attendu, les yeux fermés.

Elle a versé l'Arquebuse, sans prévenir. Juste à l'endroit où le frein était entré dans le muscle. J'ai ouvert la bouche en grand, comme si j'allais hurler, mais je n'ai rien dit.

– Allez, dit-elle, c'est le métier qui rentre. Va jouer dans le jardin, je t'appellerai pour dîner.

Je n'ai plus jamais reçu le moindre soin de la part de tante Pierrette. À la fin des vacances, je l'ai quittée pour revenir en ville.

Dix ans plus tard, j'ai signé ma première licence dans un club cycliste. Vingt ans plus tard, je gagnai Paris-Roubaix.

Les trois jours
du champion

Première journée

– Tu crois qu'il fera le poids cette fois-ci ? dit Ricardo en désignant Vladimir d'un coup de menton.

– Je n'ai jamais vu quelqu'un bosser aussi fort, dit Ned.

Debout à l'orée de la forêt, ils surplombaient la longue cabane de rondins. Vladimir s'était installé sur le terre-plein devant le seuil et soulevait de la fonte. Derrière lui, la porte paraissait trop petite. Un colosse devant une maison de poupée. Ned releva le col rembourré de sa canadienne avant de remettre les mains au fond de ses poches.

– Je ne parlais pas de la charge de travail, dit Ricardo, je parlais du niveau.

– Fais-lui confiance, dit Ned. La force et l'envie peuvent s'en aller, le talent finit toujours par revenir.

– Tu sais pourtant ce qu'on raconte, *they never come back*, dit Ricardo en esquissant un sourire.

Il n'avait retroussé qu'un seul coin de ses lèvres et son sourire ressemblait à un ricanement. Ned lui jeta un coup d'œil de côté.

– S'il fallait couper dans toutes les formules des journalistes, on ne tenterait rien.

– J'envie ton optimisme, dit Ricardo.

Vladimir accomplissait ses exercices en cadence et il donnait une impression de puissance et de violence retenue. Ils l'observèrent un long moment. Même d'aussi loin que là où ils étaient, ils pouvaient apercevoir la sueur qui luisait sur son torse nu.

Une pie passa au-dessus de leur tête. Elle filait droit, de son vol mécanique et lourd, et survola le toit de la cabane pour aller se percher sur le vieux chêne. La silhouette de l'arbre se détachait en ombre chinoise sur le ciel gris. La fumée qui montait de la cheminée était d'un gris plus pâle, et l'air sentait le feu de bois.

– Je déteste ces oiseaux, dit Ricardo.

La pie se mit à jacasser. Le bruit semblait trop fort pour ce coin de vallée. On n'entendait que ce ricanement de crécelle, et aussi le souffle de Vladimir qui expulsait l'air chaque fois qu'il levait les haltères au-dessus de sa tête.

– En tout cas, personne ne pourra prétendre qu'il ne s'est pas donné de mal, dit Ned.

– Je n'ai jamais soutenu le contraire, dit Ricardo. Je me demandais seulement s'il serait prêt.

– Il n'est pas tombé de la dernière pluie, il sait que la décision se fera au sol. Au plus costaud. Là où le gagnant sera celui qui en veut le plus.

– Ou celui qui accepte d'avoir mal un peu plus longtemps que l'autre.

– C'est la même chose.

La pie traversa de nouveau l'espace qui se trouvait entre le chêne et la forêt. Elle volait droit devant elle, sans rebondir sur l'air comme les autres oiseaux. Elle ne jouait pas avec l'atmosphère. Son vol était aussi rectiligne et régulier que si elle avait été remontée comme un jouet à ressort.

– Je ne peux pas piffrer ces oiseaux, dit encore Ricardo. Ces saloperies-là ont l'air d'être en deuil.

– Épargne-nous tes superstitions, dit Ned, et va plutôt t'occuper de ta tambouille. Tu devrais être à tes fourneaux à cette heure-ci.

Ricardo prit le temps d'allumer un de ses cigarillos longs et âcres avant de répondre.

– Tu parles. Pâtes et grillades, grillades et pâtes. Le Grand Menu. Deux semaines de nouilles et de bidoche au gril. Parfois des spaghettis et du poisson grillé pour changer. Je me demande pourquoi il a voulu emmener un cuisinier.

– Et chauffeur, dit Ned. N'oublie pas que tu es chauffeur aussi.

Là-bas, Vladimir avait abandonné les poids. Il avait

maintenant commencé une série d'assouplissements et d'étirements. Une jambe levée, tendue, le talon appuyé sur le mur bien au-dessus de sa tête, les deux mains placées sous le mollet, il pliait le dos en rythme pour approcher le front de son genou. Il effectuait ce mouvement de danseur avec une souplesse qui étonnait de la part d'un homme aussi grand et aussi corpulent. Ses gestes étaient fluides et s'enchaînaient sans brutalité.

Samuel sortit de la cabane. Il était aussi grand que Vladimir et au moins aussi lourd que lui, et il vint se placer dans son dos pour l'aider en appuyant sur ses épaules. Lui non plus ne forçait pas. Il se contentait d'accompagner les mouvements du champion. Il était en maillot, et malgré le froid son visage d'un noir profond luisait déjà sous la transpiration. Puis Vladimir changea de jambe et reprit les mêmes gestes. Samuel posa de nouveau ses larges mains sur les épaules du champion. Il comptait à haute voix, et, quand il prononçait des chiffres que ni Ricardo ni Ned ne pouvaient entendre, une buée se formait devant son visage.

– Allons-y pour la bouffe, dit Ricardo en se mettant en marche vers la cabane. Tortellinis en salade, macaronis au parmesan, filets de saumon grillé. Plus diététique que ça, tu meurs. Et pendant ce temps, tu crois que Jay Jay McAuliffe se paie un menu pareil ? Lui, il se la coule douce.

– Il se farcit autre chose, dit Ned. Je n'aimerais pas être à la place de ses bras. Ni de ses fesses.

Il avançait à la hauteur de Ricardo et il avait sorti les mains de ses poches pour mimer une injection à la saignée du bras. Il souriait en accomplissant ce mime, et son sourire ne touchait qu'une moitié de son visage. Sur l'autre moitié, aucun muscle ne frémissait. Même son œil était fixe, et il paraissait trop fixe et trop grand et trop rond sur la peau rose et morte de cette moitié du visage.

– Pas de lézard, dit Ricardo, je n'ai planqué aucune dose d'hormone dans le frichti. Pas d'anabolisants non plus. Vladimir veut que tout soit propre, je fais dans le propre.

– Si tu trafiquais quoi que ce soit, il t'arracherait la gueule. Et moi aussi.

Ils étaient parvenus devant Vladimir et Samuel. Le champion continuait ses assouplissements. Il travaillait maintenant au sol, et ses grands dorsaux et ses trapèzes se dessinaient avec netteté chaque fois qu'il faisait forcer les articulations de ses épaules. Il n'avait pas cette musculature trop volumineuse et trop précise qui surprend tellement chez les athlètes programmés pour un usage spécialisé de leur corps. Ses muscles étaient seulement les muscles exacts dont sa carcasse avait besoin. Il poursuivit ses exercices. Ses mouvements étaient si sereins qu'on

aurait pu le croire disposé à continuer encore longtemps.

– Ça ira pour l'instant, dit Samuel de cette grosse
voix épaisse qui lui montait du fond de la poitrine.
Une bonne douche, un petit massage des familles, et
à table.

Il donna une tape sur les fesses de Vladimir, puis il
saisit un peignoir et une serviette de toilette et les
tendit au champion. Ricardo et Ned restèrent silencieux. Ils regardèrent Vladimir enfiler le peignoir,
placer la serviette à cheval sur sa nuque et s'essuyer le
visage. Ses mains étaient larges, avec des poignets
massifs et des doigts étrangement longs. Quand sa
manche se relevait, on apercevait sur son avant-bras
la marque blanche de la cicatrice encore fraîche.

– Tu te sens comment ? dit Ned.

Vladimir ne répondit pas. Il pressait la serviette
sur son front et sur ses yeux pour pomper la sueur.

– Il sera prêt, dit Samuel de sa voix de basse.

Vladimir ne parlait toujours pas.

– Je vais passer un coup de fil pour savoir où en est
Jay Jay McAuliffe, dit Ned.

Il tira le téléphone portable de la poche de sa
canadienne et poussa la porte de la cabane. Ricardo
balança son cigarillo dans l'herbe, d'une pichenette,
avant de le suivre. Au moment où ils tiraient la porte
derrière eux, la pie se remit à jacasser.

– Ne t'occupe pas de ton adversaire, dit Samuel à Vladimir. Occupe-toi de toi et tout ira bien.

– Je m'occupe de moi, dit Vladimir. Et j'aimerais être sûr que tout ira bien.

Maintenant qu'il ne remuait plus, il sentait le froid remonter le long de ses jambes et dans son dos. Il serra plus fort autour de lui les pans du peignoir. Il frissonnait.

Deuxième journée

– Déjà la demie, dit Samuel en regardant l'heure à son poignet pour la cinquième fois. Je me demande ce qu'il fiche.

On n'entendait que le léger ronflement du feu dans la cheminée et la rumeur interminable de la pluie qui tombait depuis le matin sur la forêt.

– Il en a encore pour un bout de temps, dit Ned. Un cross pareil dans la forêt, il n'en est pas sorti.

– Qu'est-ce que tu en sais ? dit Ricardo.

Il fumait encore un de ses cigarillos et il avait étendu les pieds en direction du feu.

– J'ai étudié le parcours avec lui sur la carte, dit Ned. Les dénivelés, les distances. Et avec le programme qu'il s'est concocté, je te jure qu'il en a pour un moment.

– Pourquoi tu ne l'as pas freiné ? dit Samuel.

Il avait une voix si grave qu'il fallait dresser l'oreille pour bien le comprendre. Ned ferma les yeux et passa la main sur la moitié morte de sa figure.

– Tu le connais, non ? Il en veut toujours plus.

– Monsieur Toujours Plus, dit Ricardo. Nom d'un chien, ce type-là va se tuer à force de s'entraîner.

La pluie laissait sur les vitres de longues coulures transparentes et on distinguait mal ce qui se passait dehors. Ricardo se leva pour remettre du bois dans la cheminée, puis il resta debout, immobile, à regarder les flammes sans parler.

Ils avaient allumé la lampe de la cuisine et allumé l'ampoule nue qui se trouvait au-dessus du canapé, mais la lumière principale venait de la flambée devant laquelle ils se tenaient tous les trois, Ned et Samuel assis, Ricardo debout.

Samuel retroussa une nouvelle fois sa manche pour lire l'heure. Sa montre était une montre publicitaire. Sur le cadran, un chat poursuivait une souris de dessin animé, et la montre était beaucoup trop petite pour un bras aussi large que le sien.

– Ne t'inquiète pas, dit Ned. Il a tout ce qu'il faut. Même une boussole. Avec ça et le plan que je lui ai dessiné, il ne risque pas de se perdre.

– J'aurais dû l'accompagner, dit Samuel. Il met trop de temps.

Ned referma la revue qu'il parcourait. Il avait laissé son index pour marquer la page où il en était, et il leva les yeux sur Samuel.

– J'aime la confiance que tu accordes à mes talents de dessinateur. Tu crois que je ne sais pas dessiner un plan ?

– Et tes talents d'organisateur, tu veux sans doute aussi que je les applaudisse ? Quinze jours dans cette baraque de merde, au fond d'un trou perdu, à se geler les miches, bravo.

Ned ouvrit la revue à deux mains et la rabattit d'un seul coup en arrière. La couverture de papier glacé craqua. Il la tint ainsi pendant quelques secondes, retournée et aplatie, avant de la claquer à plat sur le canapé à côté de lui.

– Vous étiez d'accord, non ? On était tous d'accord pour accompagner Vladimir, non ? On était tous d'accord pour tenter cette dernière chance, non ?

– À condition que ça marche, dit Ricardo depuis le coin de la cheminée où il était resté debout.

Une bûche bascula dans le foyer. Elle roula jusqu'au bord des chenets et un brandon jaillit sur le plancher. Ricardo l'attrapa du bout des pincettes et le rejeta dans le feu, puis il replaça la bûche de sapin sur les autres. Ensuite, il s'accroupit devant la cheminée, le dos tourné à la pièce mal éclairée et aux deux autres hommes.

Personne ne parla. Ils contemplaient les flammes. Sur une des bûches, la sève encore fraîche s'était mise à couler. Elle moussait sur l'écorce et on entendait un chuintement léger. Ned rejoignit Ricardo devant la cheminée, et ils demeurèrent sans parler jusqu'à ce que la résine ait fini de couler.

– Il faut qu'on l'accompagne jusqu'au bout, dit Ned. Tu sais la phrase qu'il m'a sortie ce matin ? De l'italien. *Morte tua, vita mia.* Tu as ta mort, moi j'ai ma vie. Il n'y a rien de plus égoïste que les champions.

– J'aurais traduit autrement, dit Ricardo. Tu peux crever, mais moi je fais ma vie. Ces putains de champions. Ces putains de grands champions.

– Le haut niveau ne pardonne pas, dit Ned. Vladimir ne peut pas se contenter d'être bien. Il faut qu'il soit excellent. Le meilleur et personne d'autre que le meilleur.

Ils s'exprimaient d'une voix sourde, comme si leurs paroles ne s'adressaient qu'à eux-mêmes. Samuel se leva à son tour, s'approcha de la fenêtre qui donnait du côté de la forêt. Il fut obligé d'essuyer la buée avec le dos de la main pour pouvoir discerner quelque chose dans le soir qui tombait.

– Qu'est-ce que tu vois ? dit Ned sans se retourner.

– Bière Corona, dit Samuel. Servir glacé. Quel est le crétin qui a collé cette étiquette sur la vitre ?

Il décolla l'étiquette et vint la jeter dans le feu. Ils la regardèrent tous les trois brûler. Ses bords noircirent, puis elle gondola, se gonfla presque comme si elle avait été vivante, et brusquement elle s'embrasa dans une flamme qui jeta des reflets d'un vert pâle et acide.

– Et moi, dit Samuel, tu sais ce qu'il m'a raconté?

Sa grosse voix basse était encore plus basse et plus grave que d'ordinaire.

– Quand il s'est retrouvé sur le ciment, avec l'échelle à côté de lui, et le dos bloqué, complètement bloqué, sans pouvoir remuer même la main, avec en plus ce bras foutu, il a immédiatement pensé: « c'est fini ». Tout de suite. « C'est fini ». Tout. Sa carrière, sa vie. Il a regardé sa petite fille debout à côté de lui, elle ne pleurait pas, elle n'avait même pas crié quand elle l'a vu dégringoler du toit, et il lui a dit: « appelle les pompiers ma chérie » et en même temps il pensait « ça y est, c'est fini ». Il était couché là de tout son long devant sa petite fille, il ne pouvait pas bouger, et il pensait seulement à une chose: « c'est fini ».

Ned et Ricardo n'avaient même pas besoin d'acquiescer. Ils connaissaient l'histoire, mais c'était la première fois qu'ils entendaient parler des réactions de Vladimir au moment de son accident.

– Il a attendu comme ça une demi-heure, dit Samuel. Une demi-heure sur le ciment, couché sur le dos, avec la peur d'être paralysé pour le reste de ses jours, et sa petite fille à côté de lui. Une demi-heure dans ces conditions, ça laisse du temps pour réfléchir. Et quand l'ambulance est arrivée, le toubib, les infirmiers, tout le fourbi, tu sais ce qu'il a pensé ? Dès la sortie de l'hosto je reprends l'entraînement, dans un an je retrouve la compète et le haut niveau, et six mois après je récupère mon titre.

– Bien visé, dit Ned. Un an et six mois. Plus que deux semaines et on sera dans les éliminatoires.

– Il a l'expérience des éliminatoires, dit Samuel. Je ne crains pas de surprise. Le seul problème, c'est la finale contre Jay Jay McAuliffe. Et je crois qu'il sera prêt.

– À quel prix, dit Ricardo. Il faut être marteau pour imaginer une fin d'entraînement comme celle-ci. Une vie d'ermite. Un programme de dingue.

– C'est son truc, dit Ned. Frugalité, dénuement, retour à la source. Pas de confort. Se retrouver tout seul en face de soi-même. Nature et travail, travail et nature. Rien de trop paumé, rien de trop dur. Je le sais, chaque fois que je lui trouvais un camp d'entraînement, il le jugeait trop confortable. Jusqu'à ce que je déniche ce chalet.

– Tu exagères toujours, dit Ricardo en jetant dans le foyer le mégot de son cigarillo. Chalet n'est pas le mot qui convient. Baraque si tu veux. Cabane. Tout mais pas chalet. Jamais je n'ai vécu comme ça et j'en

50

ai plein le dos. Où est ce putain de whisky, qu'on se remonte un peu le moral ?

– Reconnais quand même que c'est une sacrée tronche, dit Ned en se dirigeant vers le buffet.

– Une sacrée tête de cochon, dit Ricardo. Apporte trois verres.

– Une sacrée tête de mule, dit Samuel. Un sacré champion mais une sacrée tête de mule. Jamais vu un type avec une telle volonté.

L'alcool était fort et il avait un goût de tourbe et de fumée. Ils le burent en silence, en prenant leur temps pour achever leur verre.

Le bruit de la porte qui s'ouvrait les fit sursauter. Ils se retournèrent tous ensemble.

Vladimir ruisselait. Il avait les cheveux plaqués sur le front et son survêtement était à tordre. L'eau qui dégouttait formait à ses pieds des taches noires qui s'élargissaient. Il était très pâle, avec des pommettes trop rouges, des ombres trop creuses dans les joues, et des cernes trop profonds sous les yeux.

– Basta, dit-il. C'est fini. Je laisse tomber.

Et il referma doucement la porte derrière lui.

Troisième journée

– On atteint tous nos limites, dit Ned. Un jour ou l'autre on les atteint. Tôt ou tard. Chaque homme les rencontre et personne ne peut savoir comment il va réagir à ce moment-là.

– J'en ai vu qui craquaient avant même d'en approcher, dit Samuel en posant son bol de café sur la table. Et d'autres qui l'affrontaient. Il faut une belle dose de courage pour aller voir ce qu'il y a derrière.

Le jour était à peine levé. Le ciel était d'un gris uniforme et une brume sale traînait sur la forêt. Sur toute l'étendue de la prairie qui montait de la cabane jusqu'aux premiers arbres, l'herbe paraissait froide et lourde de pluie.

– Ça manque de couleurs ce matin, dit Ned qui s'était approché de la fenêtre.

– De perspective aussi, dit Samuel. Un pré, des arbres, des arbres, des arbres, point final. Même pas de ciel.

– Occupe-toi du feu, dit Ned sans se retourner. Vladimir aura besoin de chaleur quand il se lèvera.

Pendant quelques minutes, ils n'échangèrent aucune parole. Samuel avait placé une brassée de genêts secs sur les bûches encore chaudes, et quelques coups de soufflet lui avaient suffi pour faire repartir le feu. Ned lui apporta son bol de café noir qui fumait encore.

– On les réveille ? dit Samuel en indiquant d'un coup de menton la porte basse qui conduisait aux chambres.

Il tenait son bol à deux mains, à la hauteur de son menton, et la fumée du café montait droit vers son visage. Il se pencha légèrement pour mieux sentir l'arôme.

– Laisse-les dormir, dit Ned. Cet abruti de Ricardo a pris une biture qui va l'empêcher de se lever avant midi. Et Vladimir a besoin de récupérer. Tu as quelle heure ?

Samuel tendit son bras sans répondre. Sur son poignet, la montre semblait vraiment très petite. Ned tendit le cou, examina le chat et la souris.

– Laissons-lui jusqu'à neuf heures, dit-il. Tu as tout le temps de lui préparer à manger.

– Tu m'as déjà vu dans une cuisine ? dit Samuel. Ça vaut le spectacle.

Il ouvrit une main devant Ned. Une main massive. Ned la considéra sans parler. Il trouvait toujours étonnant d'apercevoir des paumes aussi claires, et il suivit un moment les sillons noirs qui traversaient le rose de la peau. Samuel ricana.

– Tu me vois préparer des petits plats avec ces jolies petites menottes ? Je n'ai pas le talent de Ricardo, je ne l'aurai jamais.

– Ricardo en écrase, dit Ned. Et pour des œufs au jambon et des céréales, je ne vois pas comment tu pourrais te planter.

– Pourquoi tu l'as laissé se bourrer la gueule ? dit Samuel. Pourquoi tu l'as laissé faire ?

Il buvait son café à petites gorgées et il fixait son regard uniquement sur la moitié vivante du visage de Ned.

– C'était un soir pour ça, dit Ned. Un soir pour que Ricardo se bourre la gueule, et un soir pour que Vladimir craque.

Il avait détourné les yeux. Il examinait le feu. Les bûches de sapin lançaient des flammes claires et vigoureuses.

– Je n'aurais jamais cru qu'il craquerait de cette façon, dit Samuel. Pas lui et pas comme ça.

Une flammèche toucha soudain une branche de genêt qui n'avait pas encore brûlé. La branche s'embrasa d'un seul coup dans un brasillement sec, puis, quand il n'y eut plus rien à consumer, la lumière baissa d'intensité.

– La peur, dit Ned. Ce sont des choses qui arrivent.

– Pas Vladimir, dit Samuel. Ce n'est pas la première fois que Vladimir affronte Jay Jay McAuliffe, il n'en a jamais eu peur et il n'en aura jamais peur.

– On peut avoir la trouille de la testostérone et des corticoïdes, dit Ned. Et des hormones de croissance. Tout le monde sait comment McAuliffe se prépare.

– Vladimir peut s'en passer, dit Samuel. Je le masse depuis assez longtemps pour savoir qu'il n'a pas besoin de ces machins-là, et qu'il se fout de ce que s'enfilent ses adversaires. Ce n'est pas de ça qu'il a peur.

– Alors il a peur de ce qu'il a découvert en approchant de ses limites. Ce qu'il a vu de l'autre côté.

Samuel finit son café et alla reposer son bol sur la paillasse de l'évier pendant que Ned retournait se planter devant la fenêtre. La brume ne se levait toujours pas. Il passa le revers de la main sur la vitre pour essuyer la buée avant de se rendre compte que ce n'était pas la buée qui empêchait de distinguer la forêt au-delà des premiers arbres.

– Je me demande ce qu'il a vu de l'autre côté, dit Samuel en venant lui aussi s'installer devant la fenêtre.

– À mon avis, il a vu un tueur, dit Ned.

Une pluie fine s'était mise à tomber. Les gouttes étaient si minces que les herbes ne ployaient presque pas quand elles les recevaient. C'était une pluie étroite, têtue et froide, qui s'installait pour longtemps avec son murmure monotone.

Ils la regardèrent tomber sans parler. Ils ne bougeaient pas non plus.

La biche surgit à ce moment-là. Elle quitta d'un bond l'abri de la forêt, s'arrêta au sommet du pré, hésita, se remit en marche en suivant la lisière des grands arbres noirs. Elle avançait sans se presser, se penchait pour brouter, repartait. Si souple, si légère, si vulnérable.

Ils attendirent en silence qu'elle disparaisse de leur champ de vision.

Quand elle ne fut plus qu'un souvenir, Samuel posa sa main sur l'épaule de Ned.

– Tu n'aurais pas dû le laisser seul hier soir.

– Il y a des choses qu'on ne peut régler qu'entre soi et soi, dit Ned. Hier soir il n'avait besoin de personne. C'est avant que j'aurais dû y penser. Je le savais et j'aurais dû y penser plus tôt.

Pour la première fois, il avait le ton d'un homme qui ignore comment il doit agir. Samuel se tourna vers lui pour le dévisager. Il le surplombait d'une bonne tête et maintenant il n'évitait plus de regarder la moitié morte du visage de Ned.

– Tu n'as pas à te reprocher ce que tu n'as pas fait, dit-il. Tu as rempli ton contrat, comme nous tous. Et puis bon, ça foire, qu'est-ce qu'on y peut ?

– Va préparer le petit déjeuner, dit Ned d'une voix où il était redevenu impossible de deviner le moindre doute. Œufs au jambon, lait frais, céréales, café noir. Et quelques tartines grillées si tu peux. Je vais réveiller Vladimir.

– Pas la peine, dit Vladimir derrière eux.

Sa haute silhouette se détachait contre la porte du couloir qui conduisait aux chambres. Il avait revêtu le peignoir blanc qu'il mettait quand il attendait son tour devant les tatamis.

– Je pensais que tu dormirais plus longtemps, dit Ned en s'efforçant de masquer sa surprise.

– À quoi bon, dit Vladimir. Je sais maintenant ce que je voulais savoir.

Il passa sa main dans ses cheveux ébouriffés, bâilla, s'approcha de la table. En s'asseyant, il posa ses avant-bras sur le plateau, ses mains à plat devant lui. Ses gestes étaient ceux d'un homme sûr de lui et de son corps.

– Le café est prêt?

– On s'en occupe, dit Samuel depuis le renfoncement qui servait de coin cuisine. Il est tout chaud et il t'attend. Et deux œufs comme d'habitude?

– Comme d'habitude, dit Vladimir.

Ned alla chercher lui-même la cafetière et un bol pour servir Vladimir. Puis il retourna prendre un autre bol, le lait et les céréales.

– Les œufs sont en route, dit Samuel.

Il remuait la poêle sur la gazinière, et tous les bruits étaient pareils à tous ceux de tous les autres matins dans la cabane. Vladimir but une gorgée de café, posa son bol, leva les yeux vers Ned qui était resté debout.

– Tu crois qu'il y a une hache dans cette cambuse?

On entendait le beurre grésiller dans la poêle et on sentait aussi l'odeur du pain en train de griller.

– Sans doute, dit Ned. Dans l'appentis. Tu veux foutre en l'air toute la cabane?

– J'ai faim, dit Vladimir en se servant une grande

portion de céréales sur laquelle il versa du lait froid. C'est une grosse hache ?

– J'ai cru voir quelque chose qui ressemblait à une cognée, dit Samuel en cassant les œufs sur le jambon.

– Parfait, dit Vladimir. J'ai envie de me farcir un bon paquet d'arbres. Ça me fera du bien de jouer au bûcheron.

– Et après ? dit Ned.

Samuel retira la poêle du feu, fit glisser le jambon et les œufs sur une assiette, passa un tour de moulin à poivre sur chaque jaune, ajouta des tranches de pain grillé sur les bords de l'assiette et vint servir Vladimir.

– Après ? Ce soir on plie bagage. Je me farcis d'abord un bon paquet d'arbres, et après on rentre à la maison.

– Alors c'est ton programme ? dit Ned d'une voix neutre. Finir de te vider un bon coup, et ensuite on tire le rideau ? Sur tout ça ?

Vladimir leva son bol de café en direction de Ned comme s'il voulait trinquer à sa santé.

– Le repos ne me fera pas de mal. Je crois que j'ai suffisamment travaillé ici. Tu vois, je n'ai même plus besoin d'être en colère pour savoir où j'en suis.

Il creva d'un coup de couteau le jaune d'un des œufs et le regarda couler. Puis il découpa soigneusement un morceau de jambon avec un morceau d'œuf, les fit glisser tous les deux sur sa fourchette en s'aidant d'un bout de pain grillé, et commença de manger. Il avait des gestes lents et mesurés, et aucune de ses bouchées n'était assez grosse pour le forcer à ouvrir grand la bouche.

Ned et Samuel étaient debout devant lui, appuyés au bord de la table, et ni l'un ni l'autre ne savait quelle contenance adopter. Le visage de Ned était si dénué d'expression et si figé qu'on ne pouvait pas deviner quelle moitié de sa figure était vivante et quelle moitié morte.

– C'est mon programme, dit Vladimir. Descendre un paquet d'arbres d'abord, et ensuite partir me reposer. Ça et exploser McAuliffe le jour de la finale, voilà mon programme.

– Exploser McAuliffe ? dit Ned.

– Il ne reste qu'un peu plus d'une semaine avant le début du championnat, non ? dit Vladimir. Juste le temps de me détendre un peu et j'explose McAuliffe, d'accord ?

– Je vais chercher la cognée, dit Ned.

Quand il ouvrit la porte, une odeur d'herbe mouillée entra dans la pièce et, peu à peu, elle prit le dessus sur l'odeur de jambon frit et de pain grillé, qui commençait déjà de s'estomper dans la cabane.

Céline

Après tout, ce n'était pas difficile de gagner. Il suffisait d'attendre. Les autres filles s'épuisaient à courir en tête. Elles battaient des bras, se retournaient, accéléraient sans raison, ralentissaient à l'approche des virages, parlaient parfois entre elles, gaspillaient leur énergie.

Céline ne parlait pas. Ne s'éparpillait pas. Ne se précipitait pas. S'imposait une régularité dans le souffle et la foulée. Veillait à conserver les coudes au corps pour l'économie du geste. Maintenait le buste droit pour dégager les poumons. Regardait loin devant. Attendait. Impassible. Patiente. Jusqu'au moment décisif de son attaque.

Elle connaissait l'instant et le lieu. Au dernier des quatre tours dans la cour du collège, exactement devant le bureau des surveillants. Juste à la hauteur des quatre marches de ciment et de la porte vitrée qu'elle avait déjà poussée bien des fois pour demander des billets de retard.

Puis, tout de suite, ce serait le virage à gauche au premier platane, l'étroite bande de terre entre les arbres et le mur, avec à main droite la rangée de fenêtres grillagées derrière lesquelles on apercevait des classes au travail dans une lumière grise, et à main gauche la queue leu leu des six platanes vénérables dont elle ne grattait plus les écorces depuis cet automne et son entrée en 5ème.

Elle savait qu'elle devait produire son effort dans cette ligne droite. Puis, là-bas, au dernier arbre, elle prendrait l'ultime virage à gauche et elle n'aurait plus qu'une vingtaine de foulées à parcourir pour passer le trait de craie jaune que la prof de gym avait tracé sur le sol. Et gagner.

Elle ne leva pas les bras à l'arrivée. Elle n'entendit qu'à peine le temps que lui lançait la prof. Elle ne se sentait même pas fatiguée.

Elle ralentit aussitôt la ligne franchie, se mit à marcher, s'imposa une cadence régulière pour discipliner sa respiration, passa la main dans ses cheveux, se retourna pour attendre les filles de la classe qui arrivaient une à une, reçut leurs compliments sans manifester d'émotion particulière.

Elle n'allait quand même pas sauter de joie sous prétexte que, pour la seule et unique fois de la semaine, personne ne la traitait de grande giclette ou de saute-relle.

Personne non plus pour lui demander si elle chaussait du 41 et si elle ne s'enrhumait pas, en altitude, du haut de ce mètre quatre-vingt qu'elle promenait au-dessus des autres élèves de la 5ème 7.

Elle percevait distraitement les souffles courts autour d'elle. Les halètements. Les toux parfois. Et la voix aiguë de la prof qui leur rappelait la nécessité de s'entraîner en vue du championnat inter-collèges.

Céline rejeta sur sa nuque ses longs cheveux blonds. Les peigna du bout des doigts. Elle souriait en coin. Marchait de long en large. Calme et sûre d'elle. Très droite. Les épaules bien en arrière. Dans une posture qui mettait sa poitrine en valeur.

Pas une seule fois elle ne tourna la tête en direction du bureau des surveillants, de l'autre côté de la cour.

Elle savait qu'il était là, debout sur les quatre marches de ciment, devant la porte vitrée. Le nouveau pion. Avec ces yeux verts et cette barbiche étroite de mousquetaire. Et cette voix grave et chaude qu'il avait eue pour l'encourager chaque fois qu'elle était passée devant lui.

Elle pensa qu'elle pourrait bien, d'ici la semaine prochaine, arriver plus souvent en retard au collège pour aller demander des billets au bureau des surveillants.

Le bruit du but
quand ça rentre

Non, mon petit, le football, ce n'est pas ça. Le foot, c'est le silence. D'abord le silence, et puis du vide. Beaucoup de vide. Celui qui a déjà planté des buts sait de quoi je parle.

A l'école, déjà, dans la cour. Les cages, on les dessinait sur le mur de ciment avec l'effaceur du tableau noir. Qui ressemblait à une brosse de chiendent. Sauf que les poils, c'était du feutre. Devenu blanc à force d'essuyer la craie. De temps en temps, le maître demandait un volontaire pour aller nettoyer l'effaceur. Je levais la main, moi M'sieur, moi M'sieur.

Dans la cour, j'étais seul. Pas de bruit. Tout cet espace pour moi et pour personne d'autre. Je tamponnais le mur. Poteaux, barre. Je fabriquais des buts tout neufs pour chaque récré. Je dessinais du vide.

Dans le silence. Seul. Le foot, ça commence toujours comme ça.

Non mon petit, ça c'est la réplique de la Coupe de France. Celle de 67. En miniature. Les autres coupes sont rangées ailleurs, je ne sais pas où. Pour les vitrines et les placards et les trophées qu'on brique, il faut voir ma femme. Moi, les médailles, les souvenirs, le champ d'honneur, tu parles Charles.

Oui mon petit, ça c'est moi. En photo. Les mains posées sur la balle, la balle entre les pieds. Au milieu de la rangée des joueurs accroupis devant les photographes. C'était toujours l'avant-centre qui occupait cette place quand l'équipe posait avant le match. A ce moment, les cris de la foule, on ne les entendait plus. On faisait le vide dans la tête, et puis.

C'est moi. En 57. Je ne me ressemble plus beaucoup.

Attention, elle est vieille, l'épreuve. Ces anciennes photos en noir et blanc, avec le bord dentelé, ça se plie ça se casse ça part en morceaux. Moi aussi. À présent.

Les buts que j'ai pu mettre dans cette cage de ciment, pendant les récrés. Même pas une cage : juste une place vide sur le mur. Un trou dessiné. Là où je plantais la balle. J'ai toujours aimé ça. Marquer.

Après, c'est le silence. Toujours. Même quand les autres crient.

Même quand ils ne crient pas. Surtout quand ils ne disent rien. Là, vraiment, on peut entendre le bruit du but quand ça rentre. Ce bruit, tu l'entends une fois, tu ne l'oublies plus.

Au stade Bernabeu, en 58, contre le Real. Le grand Real Madrid de l'époque. Avec toutes ses vedettes, les Puskas, Di Stefano, Gento. Et Kopa. Le but que je leur mets. Un coup de poignard. Ils dominaient tant et plus, et nous, repliés derrière, pousse que je te pousse, on s'arc-boutait pour résister, et puis, une contre-attaque, une passe en profondeur, je surgis : une lame dans leur dos.

Le stade, muet. Une énorme vague de silence. Tout ce silence qui s'abat d'un seul coup sur moi. Quelque chose d'écrasant. Je veux dire, qui assomme.

Entendre ça une fois dans sa vie, rien qu'une fois : à ce moment, on sait à quoi ça ressemble, le bruit du bonheur.

Non mon petit, je n'ai pas gardé toutes les coupures de journaux. Il aurait fallu des cahiers et des cahiers. Une bibliothèque.

Trop de bruit, tout ça. Trop de mots. Les mots font du boucan. Trop. Ce n'est pas ça, le foot.

Au début, si. Premiers matchs en pro, tu penses bien. Les articles, la moindre photo, les interviews. Et les premières sélections. Ma mère découpait les articles, moi aussi. C'est toujours comme ça. On les coupe et on les colle dans un cahier. On passe du journal local à *L'Équipe*, et puis à d'autres journaux nationaux, et puis à des revues, et même à des magazines qui ne s'intéressent pas au foot. Avec des articles entiers qu'on te consacre. Ta tête pleine page. Après, tu fais la couverture. Même dans les journaux qui se foutent du sport.

C'est à ce moment que j'ai arrêté de collectionner les papiers.

Un but, petit, ça ne s'oublie jamais. Même les buts de rat. On en marque toujours, qu'on le veuille ou non, des buts de hasard. Un ballon qui traîne, un tir loupé, une balle qu'on racle en teigne, n'importe quoi. Tout fait ventre.

Engrange toujours, disait mon grand-père, on triera après.

J'ai engrangé. Combien, je ne sais plus. Je n'ai pas compté. Pas trié non plus. Tout est là, tout, dans ma tête. Le reste, les chiffres, les statistiques, ce n'est pas mon affaire.

Quelques centaines, en tout cas. Oui, quelques centaines de buts.

Ce que j'en retiens, pour chacun d'eux, tu entends bien, pour chacun, tous autant qu'ils sont, un par un, c'est le vide. Le vide, juste après. Quand on change de planète. Ça ne dure jamais longtemps. On plante ce pion et ça y est, on décolle. Les autres joueurs sont restés collés sur la plancher des vaches, et toi, tu flottes. Ailleurs. Au-dessus du pauvre monde. Avec la cervelle qui broute les nuages.

Quand j'y repense, de temps en temps, à un de ces buts, celui-ci ou un autre, je m'envole encore un peu. Oui, même à mon âge, mon petit. L'âge ne fait rien à l'affaire. Quand on a goûté à un silence de cette sorte-là, c'est pour la vie.

Un jour, un centre de la droite, au cordeau, dans la course, il y avait des ailiers en ce temps-là, et moi, à la hauteur des seize mètres cinquante, exactement dans ma foulée, sans piétiner d'un poil, la reprise de volée comme on la rêve : pleine lucarne. Tu vois : simple, parfait. Si la télévision avait existé, sûr qu'on l'aurait repassé des dizaines de fois, ce tir.

C'était contre Lens. En championnat. Victoire 4 à 3. On marquait des buts à cette époque. L'avant-centre occupait la place de rêve.

Contre le Servette de Genève, Coupe d'Europe, deuxième tour, pas de pot, on tombe contre eux, et la réputation qu'ils avaient, pardon, on aurait dû être mangés tout crus, les journaux nous enterraient avant le match, et nous, bravement, bons gars, on part à l'abordage. Dominés, laminés : une correction. Jusqu'à ce corner. Une mêlée, un sac de nœuds, la foire d'empoigne. Et la balle qui va et vient. Moi là-dedans, je saute, je loupe le ballon, et en sautant je me retourne et vlan, des fesses, je le marque, ce but. Des fesses. Historique.

Dans la cour de l'école, un mois de juin, c'était en juin, les bourgeons du marronnier collaient aux doigts, un but d'une tête plongeante. Sur le goudron de la cour. Ce goudron, une râpe à fromage. Mes mains, tu imagines. Épluchées. Et ma blouse, les boutons, de mon temps on portait la blouse, les boutons, au revoir et adieu. Les copains : ta mère, ce qu'elle va te passer.

Moi, je pensais au but. J'étais un empereur.

Des buts : du genou, de la tête, du gauche, du cou-de-pied, du pointu, de l'extérieur, du droit, brossés de l'intérieur, et des frappes de mule, des déviations, des boulets, des tirs vrillés, des tirs foireux, des ratés, des shoots du bon Dieu, des reprises du tonnerre, toute la gamme.

Contre Sedan, mon premier coup du chapeau. Contre Le Havre, en 64, cinq pions en soixante-trois minutes. En 70, mon dernier match, à Munich, deux tirs, un du gauche, un du droit, deux buts. Pour le troisième, je n'ai même pas eu le temps d'armer mon shoot : ajusté vilain, un tacle aux genoux, adieu le match. Civière, ambulance, hôpital.

Quand je me suis réveillé après l'opération, j'ai

tout compris rien qu'en voyant la tête des médicos. Le foot, c'était fini. Moi aussi. Ma carrière, enterrée. Bon pour les béquilles *ad vitam aeternam*.

Je n'avais plus qu'à faire mon signe de croix et *amen*. La messe était dite. Et bien dite. Depuis, je traîne ces saloperies de béquilles, oui, celles-ci. *Amen*.

J'allais planter le troisième but quand ce salaud m'a descendu.

Là, ça en a fait du boucan, dans ma tête. Un vacarme de tous les diables. Comme si tous les silences qu'il y avait eu après chacun de mes buts venaient de se déchirer, et que derrière eux tout revenait en bloc, les cris, le barouf, les clameurs. La foule. Ces gueulements. Tout ce qui braille, les types qui tonitruent, le rugissement, les gradins, tu ne peux pas imaginer, ça beugle, ça hurle, arrêtez ça s'il vous plaît, ils vocifèrent, les huées, les sifflets, tu entends comme ils crient, arrêtez, les hommes rugissent, monsieur, les hommes, un pareil brâme, l'enfer, ils aboient, écoutez-les japper, ces sifflements, mes oreilles, mes pauvres oreilles, arrêtez je vous en prie, arrêtez arrêtez arrêtez.

Laissez-le. Je crois que ça vaut mieux maintenant. Il va se reposer. Votre visite lui a porté sur les nerfs. Ça arrive quelquefois.

N'ayez crainte, ça ne dure jamais longtemps.

Oui, curieux, n'est-ce pas, cette fixation sur un rôle de buteur, extrêmement curieux. À l'entendre, on jurerait qu'il a joué dans des équipes professionnelles. Non, bien sûr, jamais. Avec ce problème aux hanches, une malformation de naissance, c'est tout juste s'il peut marcher, alors. Jamais il n'aurait pu jouer au foot. Jamais de la vie.

Gueule d'Ange

Il n'y a pas de hasard. Le Menez passa par la fenêtre aux premières difficultés .

Des gros bras du classement général avaient décidé d'attaquer dès le pied de la grimpée vers Saint-Hippolyte, quelques kilomètres seulement après le départ de l'étape. La plupart des coureurs n'avaient pas encore eu le temps de se mettre en jambes : le peloton s'étira tout de suite et se mit à se vider par l'arrière. Le Menez perdit pied.

Dans les premières pentes, il s'était pourtant accroché. Il avait choisi un petit développement et s'était concentré sur les roues qui le précédaient. Puis, quand le rythme s'était accéléré parce que là-bas devant des flingueurs avaient estimé qu'ils avaient des comptes à régler et qu'ils ne voulaient pas attendre pour présenter l'addition, il avait décroché.

Il se retrouva seul. Il rétrograda jusqu'au milieu des voitures suiveuses, les perdit, se lança en danseuse, ne revint pas. Il n'avançait plus. Il vit s'éloigner les voitures, il ouvrit grand la bouche, l'air lui manqua, les muscles de ses cuisses commencèrent à brûler, et il comprit qu'il n'en était qu'au commencement de sa souffrance.

C'était une de ces petites routes du Massif central, dures, étroites, hargneuses, qui rendent mal sous les roues, et qu'on ne peut apprivoiser qu'en emmenant du braquet. Le Menez ne pouvait pas tirer assez gros. Il évita de penser qu'il lui restait près de deux cent bornes à rouler avant le Puy-de-Dôme où s'achevait l'étape.

Son directeur sportif s'était laissé remonter par les autres voitures suiveuses pour pouvoir placer juste derrière lui la deuxième voiture des Inac-Moshi qu'il conduisait. Il s'appelait Malavoy et c'était un ancien coureur. Il se retourna vers le mécanicien qui occupait le siège arrière :

— Et voilà, Gueule d'Ange est déjà largué. Il fallait s'y attendre.

Il écoutait Radio-Tour et il connaissait déjà le nom des lâchés. Il manipula d'autres boutons pour appeler sur sa *C.B.* l'autre voiture des Inac-Moshi, qui suivait le gros du peloton un peu plus haut sur la pente.

— Ici c'est Malavoy, tu as entendu Radio-Tour, il y a déjà un type à nous dans les lâchés, je reste derrière lui.

– J'ai entendu, dit une voix dans le haut-parleur. C'est Le Menez, évidemment.

– Évidemment, dit Malavoy. Ce sacré Gueule d'Ange.

Avant le sommet de la bosse, Le Menez rejoignit d'autres coureurs lâchés. Il les reconnut vite. Flaverini, de l'équipe Gandolfi, un Belge de chez MotorCame, et le petit Hollandais des Oudweld : les habitués. Depuis deux jours, ils se retrouvaient tous les quatre dès que des difficultés se présentaient en début d'étape. Ils avaient été lâchés hier, ils seraient lâchés demain, et il ne leur restait qu'à unir leurs efforts pour tenter de rejoindre le peloton.

Derrière eux, juste derrière, il n'y avait plus qu'un commissaire à moto et quatre voitures de directeurs sportifs. Et, derrière encore, la voiture-balai. Derrière la voiture-balai, plus rien.

Sur le bord de la route, les spectateurs hurlaient des encouragements et agitaient des drapeaux, des fanions, des insignes publicitaires. Ils étaient à la fête et ils poussaient des acclamations quand les coureurs passaient devant eux. Quelqu'un reconnut Flaverini et cria son nom. L'Italien ne réagit pas. Il souffrait et il se concentrait sur sa douleur. Les autres aussi.

Ils étaient maigres, secs, brûlés par le soleil et dépourvus de toute graisse superflue. Ils s'acharnaient à trouver un rythme régulier pour en finir avec la pente et ils ne pensaient à rien d'autre. Aucun d'eux n'avait l'air de se prendre pour un héros.

Quand ils atteignirent enfin le haut du col, ils virent les grandes lignes droites qui traversaient le plateau, et, plus loin, ils purent un instant apercevoir la longue grappe des voitures qui suivaient le peloton.

Malavoy désigna la silhouette fuyante du peloton :

– Avec de la chance, ils peuvent recoller.

– Si ça ne flingue pas trop devant, dit le mécanicien derrière lui.

Malavoy monta le son pour mieux entendre les nouvelles données par Radio-Tour. C'étaient des informations sans commentaire, sèches et précises : les échappés comptaient trente secondes d'avance sur le peloton, il y avait parmi eux deux coureurs de chez Pastor dangereux au classement général, ils roulaient vite.

– Faites chauffer la colle, dit Malavoy. Si les Pastor ont décidé de faire péter le bazar aujourd'hui, ça va barder. Surtout sur ces routes-là.

Le mécanicien sortit une bouteille d'eau de la glacière posée sur le siège arrière, à côté des outils et des deux roues de vélo dont les jantes luisaient dans l'habitacle, et ils se mirent à discuter de tactique. Ils écoutaient Radio-Tour égrener les secondes d'avance des échappés et détailler la liste des équipiers du maillot jaune qui conduisaient la chasse en tête du peloton.

– C'est parti mon kiki, dit le mécanicien. On dirait bien que la grande lessive a commencé.

Malavoy consulta le profil de l'étape, épinglé avec d'autres feuilles sur son tableau de bord, juste à côté du volant. Puis il déboîta, accéléra, s'approcha de la moto du commissaire de course pour demander l'autorisation de dépasser, rejoignit enfin Le Menez, se maintint à sa hauteur.

– Les Pastor ont fait péter une grenade devant, dit-il au coureur, ça ne va peut-être pas durer. Vous avez une chance de revenir tous les quatre, le profil est tranquille pendant une quinzaine de bornes. Ne tire pas trop gros, prends les roues.

Le Menez pencha la tête de côté pour mieux se faire entendre :

– Ça démarre trop vite pour moi ce matin, je n'ai pas les jambes, dès que ça force je suis dans le dur.

– Accroche-toi, dit Malavoy, tu as été cueilli à froid, ça ira mieux dans un moment.

Il rétrograda pour reprendre sa place derrière les coureurs. Il roulait le bras à la portière et il se mit à siffler entre ses dents.

La course traversait des villages décorés de guirlandes et de drapeaux, où des groupes d'enfants en vacances lançaient des vivats. Puis, la route s'égarait entre les champs et les bois, et des bouffées de résine ou de genêts passaient dans l'air. Une grande lumière de ciel fraîchement lavé s'étendait sur la campagne. A l'horizon, derrière des poignées d'arbres sombres, les montagnes lointaines bleuissaient, et aucun des quatre hommes lâchés n'accordait un regard au paysage.

A l'entrée de Mur-de-Barrez, Radio-Tour annonça une minute vingt d'avance pour les échappés, et, par la *C.B.*, l'autre voiture des Inac-Moshi appela pour dire qu'en tête du peloton les équipiers du maillot jaune venaient de se relever et semblaient abandonner la poursuite.

– C'est bon pour les lâchés, dit la voix dans le haut-parleur, si le peloton continue à laisser flotter les rubans Le Menez et les autres vont pouvoir revenir.

– Radio-Tour ne donne pas notre retard, dit Malavoy. Je vais essayer de faire des pointages, je te tiens au courant.

– Dis à Gueule d'Ange de mettre le paquet, dit l'autre voiture. Il faudrait qu'il rejoigne dans les kilomètres qui viennent, ça va être trop coton ensuite.

– C'est ça, dit Malavoy, quand tu verras Le Menez se lever le cul tu m'enverras des cartes postales.

Après la côte de Mur-de-Barrez, il calcula que les attardés comptaient cinquante secondes de retard sur le peloton, et il remonta de nouveau jusqu'à son coureur pour lui donner les chiffres et l'inciter à accélérer. Le Menez haussa les épaules, montra ses jambes :

– Je te dis que je suis en panne de cuisses, je suis vidé.

Il avait pourtant l'attitude d'un coureur bien en machine. Il pédalait rond, sa nuque était souple, et il ne remuait presque pas les épaules.

– Regarde-moi ça, dit Malavoy au mécanicien quand il eut repris sa place derrière les coureurs. Ce mec-là, je ne le comprendrai jamais. Avoir eu le début de carrière qu'il a eu et rester derrière comme ça, je ne peux pas comprendre.

La course avait retrouvé, sur les départementales tourmentées, un tracé tout en virages où les descentes et les montées se succédaient sans répit. C'était un parcours fait pour le guet-apens et la rapine, avec des routes maigres et torses qui favorisaient les bagarreurs.

Le retard des lâchés s'amoindrissait légèrement. Quarante-cinq, quarante, trente secondes, d'après les pointages de Malavoy. Les routes cependant étaient si étroites et si tortueuses que les quatre coureurs lâchés n'apercevaient que de loin en loin l'arrière du peloton. Ils se relayaient en tête de leur petit groupe et, quand la route ne montait pas, leur allure n'était pas celle d'hommes fourbus.

– Allons, dit le mécanicien, ils vont peut-être revenir.

– Je te parie que non, dit Malavoy en secouant la tête. Pas avec Gueule d'Ange. Quand tu penses que ce mec-là s'est offert Liège-Bastogne-Liège, une étape du Tour, deux à Paris-Nice, une autre au Giro, et le Tour de Lombardie, et Gand-Wevelgem, et le Midi-Libre, je ne sais plus quoi encore, le Trophée des Grimpeurs, et regarde-le.

Les quatre coureurs venaient d'aborder le petit col de Curebourse et ils avaient aussitôt ralenti. Le Menez occupait la dernière place. Les deux mains à la potence, la tête droite, les chevilles déliées, il pédalait sans donner l'impression de forcer.

– Que veux-tu, dit le mécanicien, Gueule d'Ange c'est Gueule d'Ange. Il a toujours été un coureur élégant, on ne peut pas lui demander de jouer les furieux, il n'a pas l'article en magasin.

Au sommet du col, leur retard sur le peloton avait nettement grandi.

Dans la plongée vers Vic-sur-Cère, Flaverini fit l'effort en tête du groupe pour grappiller un peu de temps. Leur retard retomba à une quarantaine de secondes.

Au passage les spectateurs applaudissaient, reconnaissaient des visages, criaient des noms, Flaverini, Gueule d'Ange, allez Gueule d'Ange.

Malavoy monta encore une fois à la hauteur de son coureur. Il baissa la vitre, se pencha, dut crier pour se faire entendre.

– Accroche-toi, refais-toi la cerise, le peloton ne roule pas fort.

– Pas de jus, dit Le Menez. Je n'avance pas.

– N'oublie pas de t'alimenter, dit Malavoy en lui tendant un bidon, et mets une dent de mieux dans les bosses. Vous allez revenir si vous en mettez un coup, c'est maintenant ou jamais.

Les autres directeurs sportifs eux aussi venaient à tour de rôle encourager leur coureur. Les hommes hochaient la tête, demandaient les écarts, saisissaient la nourriture qu'on leur passait, et Flaverini en profitait un peu, crochait la main sur le bidon tendu, se laissait un instant tirer par la voiture.

Le commissaire à moto le repéra, lui fit lâcher prise avant de noter l'amende sur un petit carnet.

– Des commissaires comme ça, dit le mécanicien derrière Malavoy, pour bâcher ils savent faire, pour comprendre la course il ne faut rien leur demander. Merde, Flaverini est cuit, ça se voit, il faut être humain quand même.

Les coureurs avaient abordé la route large et roulante qui monte vers Super-Lioran, et Gueule d'Ange s'était mis en danseuse. Il avait pris la tête du groupe et il avait choisi un gros développement pour essayer de revenir au plus vite dans les voitures. Il savait que s'il parvenait à les rejoindre maintenant, il serait sauvé.

– Il tire trop gros, dit Malavoy, on se plante toujours dans les braquets quand on est mal.

– Les autres ne sont pas mieux, dit le mécanicien, regarde-les.

Flaverini martyrisait son vélo. Il était lui aussi en danseuse et il se déjetait tout entier à chaque coup de pédale. Le Belge de chez MotorCame faisait du bec de selle et pédalait carré. Il respirait mal : vite et court. A côté de lui, le petit Hollandais des Oudweld haletait. Il moulinait petit, tournait les jambes trop vite, s'asphyxiait.

Le Menez, peu à peu, prit des longueurs à ses trois compagnons. Il était en train de trouver son rythme, et il distinguait maintenant l'arrière du peloton. Il se rassit, leva la tête, passa le dos de la main sur son front pour essuyer la sueur. Assis, il pédalait plus lourdement. Il se remit en danseuse.

Il ne vit pas Flaverini craquer. C'était juste avant les pentes les plus dures. L'Italien lâcha les roues, glissa en arrière, perdit le contact, et tout fut dit. Il s'obstina encore un moment, mais il n'y pouvait plus rien. Il donnait l'impression de ne plus avancer.

– Ciao l'Italien, dit le mécanicien qui s'était retourné pour l'observer. Regarde-le, il n'en a plus pour longtemps.

– Il n'est pas le seul, dit Malavoy, Gueule d'Ange est en travers aussi.

La pente s'accentuait et Le Menez se dressait sur les pédales, se rasseyait, repartait en danseuse, ne parvenait pas à trouver la cadence qui lui aurait permis de moins souffrir. Il s'assit enfin pour de bon, jeta un coup d'œil derrière lui et ralentit pour attendre les autres. Il suait. C'était une sueur excessive, et ses traits s'étaient creusés.

Radio-Tour annonça que les hommes du maillot jaune venaient de lancer la chasse derrière les échappés. Le peloton accéléra. Il fut bientôt en file indienne sur la pente.

Les coureurs lâchés étaient de nouveau réunis. Ils n'échangeaient ni un regard ni une parole. La moto du commissaire les suivait toujours. Et trois voitures. La quatrième était derrière, avec Flaverini.

Quand la moto de presse revint sur eux, les trois hommes surent que c'était fini pour Flaverini. Le mécanicien la vit lui aussi et désigna du pouce les journalistes :

– Ceux-là, ce matin dans le Village je les ai entendus parler, ils prévoyaient leur sujet du jour. Ils ont un joli titre pour aujourd'hui : « La course et ses drames ». Abandons, crève-cœur, accidents, demandez le programme.

– Les charognards volent bas, dit Malavoy.

– Abandon du coureur n° 117, annonça Radio-Tour : Flaverini, de l'équipe Gandolfi.

L'information fut répétée en espagnol, en italien et en anglais.

Malavoy ne fit aucun commentaire. Il feuilleta les fiches épinglées au tableau de bord, dénicha la liste des engagés, et, de la pointe d'un stylo-bille, il raya le nom de Flaverini. Il ne dit pas un mot. Simplement il biffa ce nom avec beaucoup de soin avant de ranger son stylo dans la poche de sa chemise. Il tenait proprement le compte des coureurs morts.

Les journalistes à moto étaient montés à la hauteur de Gueule d'Ange pour le filmer de près pendant qu'il peinait sur la pente. Le coureur ne leur adressa pas un coup d'œil. Il fixait la route juste en avant de sa roue et ne voyait pas plus loin.

Au tunnel du Super-Lioran, Radio-Tour annonça plus de cinq minutes d'avance pour les échappés, et les pointages de Malavoy donnaient aux attardés près de deux minutes de retard sur le peloton.

Il commença de calculer à haute voix les délais d'élimination du jour. C'est un calcul qui se comprend vite : puisqu'il s'effectue en pourcentage sur les temps réalisés par les premiers de l'étape, les délais sont d'autant plus courts que la course a été rapide. Et la course allait vite. Là-bas devant, les Pastor avaient décidé de forcer la chance. Ils étaient deux dans l'échappée et ils roulaient le nez dans le guidon. Ils accentuaient même leur avance sur un peloton qui avait pourtant accéléré dans la descente vers Murat.

Malavoy et le mécanicien suivaient les écarts donnés par Radio-Tour. Ils imaginaient la course en tête, ils en discutaient, ils la trouvaient belle et généreuse, et ils savaient maintenant que les coureurs lâchés ne réintégreraient plus le peloton.

À Murat, le retard des attardés avait grandi. Dans la montée qui suivait, jusqu'au col d'Entremont, leur situation se dégrada encore. Ils avaient choisi des braquets de petit rapport pour éviter de se faire mal, et ils n'allaient pas assez vite. Ils se battaient contre leur propre corps et aucun des trois n'imaginait qu'il pourrait sortir vainqueur de ce combat.

Dans la voiture, le mécanicien passa des sandwichs à Malavoy. Ils mangèrent en silence. Ils observaient les trois coureurs devant eux. Malavoy but une longue gorgée d'eau avant de les désigner de sa main tendue.

– Ils sont cuits, dit-il. Tout à l'heure, ils perdaient du temps et pourtant ils n'étaient pas mal. Maintenant, ils ne sont pas bien et sur un parcours pareil, c'est cousu, les minutes de retard vont se mettre à défiler.

Radio-Tour annonça deux abandons d'un seul coup dans le peloton. Malavoy écouta les noms avec attention, et les biffa soigneusement sur sa liste.

La route filait entre les puys volcaniques. Elle virait, serpentait, descendait parfois, remontait, et ce n'étaient que des rebonds et des vallonnements, avec des faux plats, de courtes montées, des plongées brusques, des côtes sèches, et chaque fois qu'au bout de la route apparaissait une montée plus rude que les autres, qui promettait encore des peines, les trois hommes ralentissaient imperceptiblement, par crainte.

Les pointages étaient sans pitié. Leur retard s'aggravait sans cesse, et pendant ce temps Radio-Tour annonçait que le groupe de tête forçait encore l'allure.

– Tu as raison : c'est plié, dit le mécanicien. Avec la bagarre qu'il y a devant, ça va vraiment être la grande lessive. À l'arrivée, il y aura des coureurs partout. Tout va exploser.

Il se mit à commenter la tactique de course avec Malavoy, et à aucun moment ils ne parlèrent de Le Menez et de ce qui l'attendait.

Il paraissait pourtant aller mieux. Il avait retrouvé une pédalée assez souple et c'était maintenant lui qui assurait les relais les plus longs en tête du petit groupe.

– Tiens, voilà son Fan Club, dit le mécanicien en apercevant au bord de la route une pancarte qui proclamait « Allez Gueule d'Ange ».

– «Gueule d'Ange», dit Malavoy qui avait lu lui aussi la pancarte. Depuis son passage l'autre jour à la télé, c'est redevenu une vedette. Maintenant qu'il fait pleurer dans les chaumières, tu parles.

Ils évoquèrent tous deux l'épisode en riant. Ils imitèrent Le Menez parlant de son accident et de la rééducation qui avait suivi. Et de cette lourdeur nouvelle qu'il disait éprouver maintenant. Et de son impossibilité de forcer. Sa gêne dans les articulations. La douleur. Et ses échecs répétés en course. Et l'explication qu'il donnait, toujours la même : j'ai mal aux jambes, ça ne marche pas comme avant, c'est les séquelles de l'accident, il faudrait des examens, les médecins ne trouvent rien.

– Merde, dit Malavoy, ce type-là n'a jamais compris que pour un coureur c'est normal d'avoir mal aux cannes. Il croit qu'il est malade et la seule maladie qu'il a, c'est qu'il n'a jamais su se faire mal.

– Tu exagères, dit le mécanicien. Je te trouve dur pour ce garçon.

– Écoute, dit Malavoy, j'ai fait le métier avec lui. Et je te jure que quand j'en bavais pour rouler, lui, dans la même course, il ne sentait rien. Rien du tout. Il pédalait dans du beurre, c'était incroyable. Il a toujours gagné sur sa seule classe, sans se défoncer. Quand tout le monde crachait ses tripes sur la route, ce mec-là roulait les deux doigts dans le nez et il nous lâchait comme il voulait, quand il voulait, tout à la pédale. Le salaud.

Malavoy se mettait en colère, claquait le volant du plat de la main.

– Et maintenant il suffirait qu'il accepte de se faire un peu mal, rien qu'un peu, rien qu'une fois, les résultats reviendraient tout seuls.

L'allure des lâchés faiblissait encore. Ils pédalaient comme si leur énergie s'évaporait petit à petit, les laissant seuls et démunis devant la douleur. Des cernes apparaissaient sous leurs yeux, leur regard se faisait brûlant, et leur peau semblait se ternir progressivement.

– Ou alors, qu'il fasse ce qu'il faut pour se préparer, dit Malavoy. Mais Monsieur veut jouer les purs. Comme si on pouvait gagner en ne buvant que de l'eau fraîche.

– C'est beau, la naïveté, dit le mécanicien.

– Quand on fait le métier, il faut le faire jusqu'au bout, dit Malavoy.

Le Belge de MotorCame collait à la roue de Le Menez et ses coups de pédale avaient quelque chose de mécanique et de buté. Il paraissait continuer la course sans savoir où il allait. Il se vidait tout doucement de ses forces, aussi sûrement que si on lui avait placé un robinet sur le pied, et il n'y avait rien à tenter pour éviter cet affaiblissement.

Des trois, seul Le Menez donnait l'impression de posséder encore quelques réserves. Il s'alimentait régulièrement, en replaçant méticuleusement les emballages dans une poche de son maillot.

– Regarde ça, dit Malavoy, les autres se mettent minables, ils tapent dans leur capital-vie, et lui, regarde-le, frais comme une fleur, putain ce n'est pas vrai.

– Tu es dur avec lui, dit encore une fois le mécanicien.

Puis, tout alla de mal en pis. Après Égliseneuve, le Belge de MotorCame leva le bras, se laissa distancer, mit pied à terre. Il descendit de machine avec des gestes lents, comme décomposés, en tournant le dos à la course, et soudain il se cassa en deux, la tête au-dessus de la selle, et il enfouit le visage dans ses mains. Autour de lui, les photographes s'affairaient. Son directeur sportif s'était arrêté et lui avait posé la main sur l'épaule. Il lui parlait à l'oreille.

Malavoy jeta un coup d'œil dans son rétroviseur, et il raya un nouveau nom sur sa liste, méticuleusement.

Au même instant, Radio-Tour annonça que les échappés possédaient à présent six minutes dix d'avance sur le peloton.

Malavoy accéléra, rejoignit Gueule d'Ange, se pencha par la portière :

– C'est le moment de tout donner, la route fait du toboggan jusqu'à Clermont, tu ne peux plus en garder sous la pédale à présent, donne tout sinon tu es bon pour l'élimination, les délais sont serrés aujourd'hui.

Gueule d'Ange se tourna vers lui. Il avait un gentil sourire :

– Pas possible de me mettre dans le rouge, le moteur ne répond pas.

La moto de presse avait rejoint la voiture, et le journaliste se pencha vers Malavoy, montra sa caméra, demanda si Le Menez allait bientôt abandonner.

– Foutez-moi la paix, dit Malavoy.

La voiture-balai n'était plus très loin derrière. Des spectateurs l'avaient vue, regardaient à peine les deux coureurs qui passaient devant eux, tendaient le bras vers la voiture-balai, s'exclamaient dans des éclats de rire, et les deux coureurs entendaient ces exclamations.

Ils avaient en point de mire le Puy-de-Dôme, et ils avaient tous les deux assez de métier pour reconnaître un monstre quand ils en voyaient un. Ils n'ignoraient rien non plus du moment où un homme a le droit d'avoir peur.

Le dernier pointage leur donnait cinq minutes vingt de retard sur le peloton. Malavoy soupira. Il calculait en silence les délais d'élimination.

La foule criait au passage, agitait des drapeaux, et le mécanicien, derrière, saisissait un bidon, le tendait à Malavoy :

– Passe-le à Gueule d'Ange, ça fait un moment qu'il ne biberonne plus, il va se carboniser. Dis-lui de bouffer.

Malavoy s'exécuta avant d'appeler par la *C.B.* l'autre voiture des Inac-Moshi.

– Au rythme où ils vont, dit-il au micro, et avec la bagarre qu'il y a devant, Le Menez et le Hollandais auront trop de retard en bas du Puy. En haut, ils sont éliminés.

– Dommage que tu sois derrière, dit la voix dans le haut-parleur. Devant c'est une sacrée bataille. C'est vraiment beau à voir.

– Je m'en doute, dit Malavoy. Moi, là où je suis, je m'emmerde à cent sous de l'heure.

Il coupa la communication.

Sur Radio-Tour le directeur de course s'époumonait. Il demandait aux dernières voitures de la caravane publicitaire d'accélérer au pied de la montée. Deux hommes s'étaient extirpés du groupe des échappés, et il criait dans le micro de ne pas gêner la course, les voitures étaient trop proches d'eux, accélérez vous entravez la progression des premiers coureurs, accélérez je vous dis. Il avait haussé le ton, et dans toutes les voitures de toute la caravane, on pouvait entendre à sa voix l'excitation et la tension qui l'habitaient tandis qu'il suivait les deux hommes de tête.

Les attardés n'étaient pas encore au pied du Puy que déjà, là-bas devant, loin devant, la course entrait dans sa phase décisive. Malavoy brancha la radio de la voiture sur France-Info pour suivre en direct les dernières péripéties. Il se désintéressait de Le Menez.

Il écoutait les deux radios en même temps, il consultait la fiche du classement général épinglée sur le tableau de bord, à côté de son volant, et il calculait les écarts entre les favoris de la course. Le peloton revenait très fort dans l'ascension, les échappés perdaient du terrain, le maillot jaune refaisait une bonne partie de son retard, et la victoire allait se disputer entre les deux hommes qui avaient pris les devants dans la montée. Le journaliste criait et sa voix était parfois couverte par les interventions sèches de Radio-Tour.

Les rangs du public avaient épaissi. Au pied de la montée, la foule était compacte. Dans les premières pentes, elle s'agglutinait, et c'était de pire en pire en montant. Les gens hurlaient. On ne s'entendait plus. Les spectateurs se pressaient des deux côtés de la route et l'air manquait. On respirait mal au milieu de cette presse. On étouffait. Des cris montaient, assourdissaient, enflaient par vagues, roulaient sur la montagne, et les coureurs devaient se frayer un chemin étroit parmi les cris et les clameurs.

– Ferme ta fenêtre, dit le mécanicien en se penchant vers Malavoy, ils vont te faire comme à moi quand ils m'ont piqué ma montre.

Malavoy avait haussé le son des deux radios à la fois, il évaluait les bouleversements du classement général, il forçait la voix pour parler au mécanicien, et il cornait de temps à autre pour faire s'écarter les spectateurs devant Le Menez et le Hollandais.

C'est alors qu'un homme jaillit de la foule et se mit à courir à la hauteur de Gueule d'Ange. Il tirait derrière lui une écharpe bariolée. Il avait le teint rouge brique d'un homme qui a bu, il vociférait aux oreilles du coureur en lui flanquant des tapes dans le dos. Gueule d'Ange s'ébroua, tourna la tête, hurla quelque chose, se secoua, et, d'un seul coup, il perdit l'équilibre et chuta.

Le Hollandais l'évita de justesse et poursuivit son ascension.

Malavoy freina pile. La voiture n'était même pas encore arrêtée que le mécanicien sautait sur la route, courait vers Gueule d'Ange, se penchait vers lui, l'aidait à se relever. La moto de presse s'était faufilée jusqu'à eux et le cameraman cadra en gros plan le visage du coureur.

Dans son viseur, il vit le sang.

L'arcade sourcilière de Le Menez avait porté sur le bitume et il saignait abondamment. Son épaule aussi était écorchée. Et son genou.

Malavoy l'avait rejoint, le tenait aux épaules, s'inquiétait de ses blessures. Le Menez ne le regardait pas. Il ne quittait pas des yeux le caméraman. Il le fixa quelques secondes, puis, d'un geste, il gifla le journaliste. La caméra tomba au sol.

Déjà il tournait le dos, empoignait son vélo, l'enfourchait, se laissait pousser par le mécanicien pour repartir.

Malavoy revint en courant à la voiture, fit grincer la première en démarrant, récupéra un peu plus loin le mécanicien sans ralentir, reprit le sillage de Gueule d'Ange, baissa la vitre, passa le buste par la portière, cria des encouragements.

Le Menez n'en avait pas besoin. Il était ailleurs. Et là où il se trouvait maintenant, il était seul.

Il montait en puissance, roulait des épaules, s'arrachait à la route. Il revint presque aussitôt sur le Hollandais. L'avala. Le laissa derrière lui. Il allait si vite que le commissaire à moto autorisa d'un signe la voiture de Malavoy à le suivre. Le Menez se battait, piochait, bataillait contre la pente, contre son vélo, contre lui-même, et chacun de ses gestes montrait qu'il avait accepté le combat et qu'il refusait de le perdre.

La foule rugissait. Ce masque de sang qui passait devant elle la faisait vibrer. Des hurlements montaient autour du coureur. Une rumeur de marée l'environnait, le précédait, l'annonçait, le portait.

Tout au long de la montée, il ne faiblit pas une seconde. A trois kilomètres du sommet il commença de rattraper des coureurs attardés. Il les doublait sans un regard, filait, s'éloignait déjà. Les autres le regardaient passer en grimaçant, et il continuait, les dents serrées, le souffle court, la figure en sang, à fondre sur des adversaires et à les larguer un par un.

A son volant, Malavoy ne cessait pas de jurer. Il avait le pouce sur l'avertisseur et il cornait en rythme. Le mécanicien s'était placé au milieu du siège arrière, les deux coudes sur les dossiers avant, la tête dans l'axe pour ne rien perdre de la course de Gueule d'Ange. Il jurait lui aussi et il serrait les poings sans s'en rendre compte.

L'organisation de la course les sépara du coureur avant le sommet, au moment où les voitures sont écartées pour les derniers hectomètres.

Ils ne revirent Gueule d'Ange que sur le grand écran de télévision qui domine l'aire d'arrivée. Il essuyait le sang sur son visage, demandait s'il était parvenu à échapper à l'élimination, et, comme un journaliste lui assurait qu'il était bien dans les délais, il eut un grand sourire.

– Alors rendez-vous dans les Alpes, dit-il.

Son sourire s'effaça, et il y eut soudain dans son regard cet éclat de méchanceté qu'on dans les yeux des hommes qui aiment gagner.

Schuss

Fabien n'avait jamais aimé la neige. Trop froide à son goût. Et beaucoup trop mouillée. Bien sûr, ce n'était pas désagréable de voir en décembre la ville ressembler à un décor de Noël, et bien sûr ce n'était pas tout à fait désagréable non plus de rouler quelquefois au milieu d'une carte postale, avec montagnes blanches, ciel bleu, route noire et chalets de bois, quand toute la famille partait en vacances de printemps.

Mais ces courtes félicités s'évanouissaient dès qu'il fallait affronter la neige et la toucher. Alors, que Fabien le veuille ou non, venait toujours un moment où son père l'obligeait à chausser les skis. En expliquant qu'il voulait faire de lui un futur champion.

Champion de luge dans le pré du curé, Fabien l'aurait admis sans trop de peine. On s'assoit sur un engin de plastique d'une stabilité en général très correcte, on glisse sur des pentes bénignes qui restent toujours au soleil, on s'emmitoufle dans des lainages qui dégagent bien vite une fumée rassurante quand on commence à se sentir au chaud, on dévale quelques mètres en poussant des hurlements en compagnie d'une bande de copains qui éclatent de rire pour un rien, et personne ne songe à gagner la moindre course. Quand tout est fini, on rentre au chalet boire un chocolat chaud, on regarde un feuilleton idiot à la télé, on glisse très doucement dans une somnolence béate. La luge est un sport confortable.

Pas le ski.

Fabien détestait le ski. Il devait enfiler des combinaisons intégrales qui lui rappelaient les grenouillères de sa petite sœur, serrer la mentonnière d'un casque qui ressemblait à celui d'un cosmonaute de carnaval, chausser des croquenots articulés comme une carapace de homard, régler des fixations qui comportaient les mêmes ressorts que ceux des instruments de torture nickelés chez le dentiste, s'attacher aux pieds ces longues lattes aussi discrètes que des trompes d'éléphant, et terminer l'opération en manœuvrant de petits leviers qui claquaient avec un bruit de piège à loups.

Fabien était cependant un fils obéissant. Il s'équipait en silence, et ne protestait même pas quand son père lui détaillait les délices et les peurs de la piste rouge qu'ils allaient affronter ensemble. Il ne disait pas un mot. Il contemplait tristement les fixations de ses skis, et constatait une fois encore leur ressemblance avec l'appareil dentaire qu'on lui avait installé à l'automne et qui faisait ricaner toutes les filles de la classe.

Son père appréciait le silence de Fabien, le félicitait de son attention, et ils prenaient tous deux le tire-fesses. Le père exultait, Fabien non.

Ensuite, tout était simple. Quand on souffre, autant écourter l'épreuve. Sitôt que son père donnait le signal du départ, Fabien filait. Obstacles, dévers, bosses, peu importait, il fonçait, et arrivait en bas le premier.

Son père décida que Fabien était décidément bâti pour devenir un champion de descente.

Et ce furent les leçons particulières, le froid aux pieds, les exercices spécifiques, le froid aux doigts, les entraînements interminables, le froid au nez. Flocons, étoiles, chamois d'argent, chamois d'or, compétition. Cadets, juniors. Sélection régionale, nationale. Espoirs. Équipe de France. Championnats, courses, titres. Kitzbühel, Sestrières, Val Gardena, Val d'Isère, Wengen.

Fabien obéissait à son père, à ses entraîneurs, à la fédération. On l'emmenait dans un avion, on l'emmenait dans un hôtel, on l'emmenait tout en haut d'une piste, il suivait. On le lâchait sur la pente, il se hâtait d'en finir, il gagnait. On applaudissait. Il exhibait ses spatules aux caméras pour honorer son contrat publicitaire, il souriait à la foule quand on lui remettait une coupe ou une médaille, il répondait quelques phrases convenues aux journalistes qui l'interrogeaient, il embrassait son père qui l'accompagnait dans tous ses déplacements, puis il courait se réchauffer dans sa chambre d'hôtel.

Quand on le sélectionna pour la descente des jeux Olympiques, à Kitzbühel, Fabien s'inquiéta d'abord de savoir si l'hôtel serait bien chauffé. Puis il s'enquit des prévisions météorologiques. On annonçait un temps de saison. Il s'attendit au pire.

Il connaissait la piste Streif et il la redoutait. Déjà, en temps normal, la Streif était gelée. Avec ça, les organisateurs y abusaient de la Steinbach, une sale machine qui injecte de l'eau en vrille dans les sous-couches de la neige de façon à glacer le revêtement. Mais avec le temps sibérien qui était prévu, la Streif serait une vitre du haut en bas. Quelque chose comme un carrelage en pente sur lequel les carres n'accrocheraient jamais.

Fabien en prit son parti. La course serait rapide, il en aurait fini plus tôt.

Il s'entraîna dans un froid épouvantable. Dès qu'on sortait le museau de la cabane de départ, là-haut, au Hahnenkamm, la glace vous saisissait. Quand on plongeait dans la souricière de la Mausefalle, entre les arbres noirs et serrés, on avait l'impression d'être congelé sur place. Ensuite, c'était pire.

Fabien écourta les entraînements. Son père debout au bord de la piste criait des encouragements, battait la semelle, se donnait de grandes claques sur les omoplates pour tenter de se réchauffer, hurlait, s'époumonait, s'enrouait. Prenait froid. Bronchite. Fièvre. Au lit.

Il fit venir Fabien le matin de la compétition.

– Petit, fais-moi plaisir, gagne.

– Oui papa.

– Je te regarderai à la télévision. Je serai avec toi.

– Oui papa.

Pour la première fois de sa carrière, Fabien allait prendre le départ d'une course hors de la présence de son père. Il gagna l'aire de départ par le Hahnenkammbahn, dans la cabine baptisée Killy. Un bon présage.

Le sommet était dans le brouillard. Le froid coupait, mordait, déchirait. Fabien prit sa place dans la cabane de départ. Ferma les yeux. Se récita la Streif. Le saut dans le vide, un droite-gauche immédiat, la Mausefalle, un trou quasi vertical, 70 % de pente, angle droit à gauche, le mur du Steilhang, un peu de répit, voie étroite, décontracter les muscles, et tout de suite l'Alte Schneise, le Seidamsprung, le Lärchenssshuss, l'Hausbergkante et le dévers vertigineux, puis le schuss d'arrivée, les muscles en bois, les poumons en feu, le cœur en tambour de machine à laver.

Jamais de sa vie il n'avait eu aussi froid. Ni aussi hâte d'en terminer avec une épreuve.

Il s'élança. Plongea dans le noir de la forêt. Ne pas penser. Réciter la piste. Il entendait le bruit des carres par-dessus les hop-hop du public. Position de vitesse. Ne pas se rappeler tous les accidents sur la Streif. Un centimètre d'écart et adieu. La foule criait. Fabien fonçait.

À mi-course, il avait près d'une seconde d'avance.

Aller plus vite. Rester groupé dans les sauts. Souplesse. Force. Puissance. Une patinoire en pente.

À l'Hausbergkante, il avait plus d'une seconde d'avance.

Le vent glacial. Le ciel bas. Une déchirure dans la lumière. Un bout de soleil. L'ouverture, enfin. Là-bas la station, l'arrivée, le schuss de gala.

C'est alors qu'on le vit ralentir.

Sur les écrans de télévision qui transmettaient la course dans le monde entier, on vit Fabien se redresser, et personne ne comprit qu'à cet instant précis, au moment où un rayon de soleil miraculeux venait soudain le caresser sur cette piste si gelée que les carres brûlaient, il avait fermé les yeux un centième de seconde et s'était imaginé en train de surfer sur des vagues tièdes et moelleuses au large de Tahiti.

Et jamais personne ne le crut quand il expliqua qu'il avait perdu la course parce qu'il avait entendu des vahinés jouer de l'ukulélé sur les pentes de Kitzbühel.

Tête de moi

Moi, j'appelle ça les straches.

Ça te prend quand ça décide de te prendre et après ça te lâche plus. Jamais. Tu as les genoux qui se débinent et plus une seule goutte de sang dans les veines et tu as envie de gerber. Tu en as vraiment envie. Et, surtout, tu as cette boule, là. Elle te noue l'estomac. Tu as l'impression que jamais ton corps a galéré comme ça.

Et quand tu as ça, quand tu as ce nœud dans le ventre et cette envie de dégueuler et que tu flippes à mort, alors là, là seulement, tu as des chances de te battre comme un dieu.

Un boxeur normal commence jamais un combat sans avoir les straches. S'il a pas ce genre de trouille, avec cette sensation de vide à l'intérieur de la poitrine et cette envie de gerber, c'est qu'il va perdre son combat. Ou alors c'est qu'il ment.

C'est de ça que j'aurais dû me méfier. Au moment où j'aurais du avoir peur, j'ai rien ressenti. Rien. J'avais seulement les abeilles et rien d'autre. J'aurais dû faire gaffe. J'étais prévenu.

Michel nous le disait toujours à l'entraînement au Centre social. Un ring, les gars, si vous y entrez parce que vous avez envie de vous castagner, vous vous foutez le doigt dans l'œil.

La boxe, je vais vous expliquer une bonne chose, il disait, Michel, la boxe est faite pour les gars qui veulent en finir le plus vite possible avec la trouille que leur colle le mec qui est en face d'eux sur le ring.

Et là, devant ce type, ce soir-là, j'ai pas eu cette trouille, je suis simplement allé au baston, et c'est ce qui a fait tout foirer.

C'est à cause de Lola.

Lola, la première fois que je l'ai vue, j'ai trouvé qu'elle avait la tête d'une chanson qu'on écoute pas. Je veux dire qu'elle ressemblait vraiment à ça. En la voyant, j'ai pensé à une de ces chansons qui font trois tours dans le top 50 et qui seront jamais un tube parce qu'il y en a des millions comme ça. On y prête pas du tout attention, on pense à autre chose, on se rend même pas compte qu'elles sont finies. Ça fait pas de mal de les entendre à la radio et voilà tout. C'est à ça que j'ai pensé.

Je savais pas encore que c'était une de ces chansons qui te rentre dans la tête sans avoir l'air d'y toucher, et qui sort plus de là une fois qu'elle a trouvé cette place. Tu crois que tu l'as jamais écoutée, je veux dire écoutée pour de vrai, et finalement tu te rends compte que tu connais qu'elle. Ce genre de chanson, quand tu l'entends de nouveau, même des années plus tard, tu peux pas t'empêcher de la fredonner et tu peux pas non plus éviter d'avoir une bouffée de souvenir, et c'est comme si tu prenais en pleine poitrine un de ces crochets qui font que tout ton corps se rappelle que là, justement, là et pas ailleurs, tu as reçu dans le temps une blessure que tes muscles ont jamais oublié et oublieront jamais.

La première fois que j'ai rencontré Lola, je pensais pas à ce genre de trucs. À vrai dire, je l'avais à peine remarquée et je pouvais pas savoir qu'elle avait pas une tronche à s'appeler Lola, ni que tout allait se passer comme ça.

Je me rappelle très bien. C'était le soir, on sortait de l'entraînement, il y avait Fayçal, Loulou, Chérif et moi. On se marrait parce que Chérif mimait un combat de championnat du monde en nous expliquant comment il s'y prendrait pour le gagner, et comme il est plutôt du format moustique, Chérif, on se fendait la poire à le regarder flanquer une volée à son fantôme. Il délirait grave.

Elle était là, assise sur le muret de la place Allende, elle nous observait. Elle se tenait juste au coin de la place, les fesses sur le muret, un pied par terre, l'autre sur le ciment. Avec ses jeans délavés, son sweat, son keffieh et son air de pas vraiment être là, elle aurait pu être n'importe qui. Des filles comme ça, il y en a des centaines dans la cité. Il y a même pas besoin de chercher pour en trouver.

Elle s'est mise à rire en voyant Chérif boxer dans le vide. Il tire dans la catégorie poids libellule, Chérif. On serait obligé d'en prendre trois comme lui pour fabriquer un poids plume. Il a la poitrine en stylo-bille et les épaules en suppositoire. Il ressemble tellement à Laurel sur un ring qu'on se gondolait, et cette fille aussi.

Quand ils l'ont entendue se marrer, Fayçal et Loulou sont allés vers elle. Ces deux-là, comme dragueurs, on trouve pas pire. N'importe quelle pouffe, les voilà qui attaquent pour l'emballage.

Je suis resté en arrière. Je repensais à ce que m'avait dit Michel, après l'entraînement, juste avant qu'on sorte. Il a beau être notre entraîneur, moi je lui parle presque jamais. Je peux pas. Il est prof de gym au L.E.P. et ça, je vois pas comment je pourrais l'oublier. Même si l'entraînement se passe en-dehors du bahut ça change rien, les profs et moi ça fait deux. D'accord, j'admets, c'est le mec cool. Et puis, il a boxé. Il a un direct de buffle et un swing je te dis pas, heureusement qu'il se retient. Quand il met les gants contre nous, on morfle sec.

Fayçal et Loulou s'étaient assis de chaque côté de la fille, ils avaient commencé à la baratiner. La place Allende était vide. C'est un coin plutôt glauque. Le soir, c'est encore pire, avec toutes ces lumières des fenêtres sur les immeubles tout autour. Ça fait penser à une grande prison avec toutes les cellules éclairées et le vide de la place au milieu, et nous au milieu du vide. Pendant ce temps Chérif continuait à boxer le vent, et moi je pensais à ce que m'avait dit Michel.

Il m'avait pris à part. Nouredine, il m'avait dit, tu vas pas rester longtemps ici, il te faut un club, un vrai, tu viendras avec moi lundi, je te présenterai aux dirigeants. S'ils te prennent et si tu travailles sérieusement, écoute-moi Nouredine, tu peux aller loin.

Tu peux aller loin.

Plus loin qu'ici. Hors de la cité. Ailleurs.

Je pensais à ce que m'avait dit Michel, et je regardais les potes avec la fille. Ils cherchaient à l'allumer. Ils sortaient leurs bulles habituelles, ils chiquaient au charme, au muscle, à l'œil de velours. Ils frimaient un max. Même Chérif s'y était mis. Il gonflait ses pectoraux de chat de gouttière, la honte.

Et alors elle s'est dégagée. Ils la serraient tous les trois de trop près et elle s'est dégagée. Sans crier, sans faire de gestes en trop, sans faire de manières, elle s'est dégagée et c'est tout. Elle était déjà debout devant eux et elle leur souriait, et ça voulait dire que c'était classe et qu'ils pouvaient lui lâcher les baskets.

Sa façon de sourire, ça c'était fortiche. Avec son air de rien et ce sourire-là, elle venait de les pousser dans les cordes. Elle les tenait à distance juste comme il le fallait, elle les avait bien à sa main. Elle se tenait simplement debout devant eux, avec un petit sourire, et ça crevait les yeux qu'elle pourrait achever le travail quand elle le voudrait, et qu'ils allaient rester étendus pour le compte sans même pouvoir défendre leurs chances.

Bon sang, je sais de quoi je parle. Pour l'emporter comme ça, sur un coup aussi net, cette fille devait crever de trouille.

Je l'ai mieux regardée. C'est là que j'ai commencé à remarquer qu'elle avait la tronche d'une de ces petites chansons de rien du tout qu'on risque d'avoir du mal à oublier.

Ils s'étaient pas méfiés, les potes. Et elle, pendant tout le temps qu'ils la baratinaient, elle avait crevé de peur, et elle avait mené le combat comme il le fallait, et maintenant ils étaient K-O. debout pendant qu'ils la regardaient s'éloigner sans faire le moindre commentaire sur la manière qu'elle avait de faire valser son pétard dans la nuit. Et on savait même pas son nom, à cette fille.

On l'a appris deux jours plus tard. Au centre commercial. On glandait, Fayçal piquait des trucs dans les rayons, des sucreries de gosse. Il est con, il peut pas s'en empêcher, ça me scie. Il taxe les Treets, les Mars, les Lion, les machins comme ça, il se les enfile dans les poches, une vraie manie. Le jour où il se fera épingler, bonjour les dégâts.

Elle était là. Quand ils l'ont vue, Loulou et les autres ont mis le cap droit sur elle, ils l'ont harponnée, et on est partis tous ensemble boire une Kro au café de la ZUP. Au deuxième verre, on a appris qu'elle s'appelait Lola.

C'est comme ça que tout a commencé.

On la revoyait de plus en plus souvent. Dans la galerie marchande du centre commercial, au Centre social, sur la place, ailleurs. Elle donnait l'impression de pas pouvoir choisir entre Fayçal et Loulou. Ils se cassaient le tronc, pourtant, tous les deux, question gringue et rentre-dedans. Pas Chérif. Il comptait pas. Il suivait le mouvement. Moi aussi. Je me contentais d'être avec mes potes, ça m'aidait à me sentir à l'aise dans mes santiags.

On est pas une bande. On est simplement quatre potes, on sort pas de la moyenne, on s'occupe comme on peut après le L.E.P., on a ni plus ni moins d'espoir que les autres, on zone et on galère seulement comme tout le monde. On rouille. Avec Lola, on traînait dans la cité, on blaguait, on tuait le temps à coups de parties de baby-foot et de Space Invaders au café, on glandouillait le long des allées des espaces verts. Lola avait l'air de nous suivre, et personne d'entre nous avait compris qu'en fait nous étions bel et bien en train de la suivre.

Ça me préoccupait pas. Je participais de loin, je pensais à autre chose. Je planais. Je rêvais au club où Michel voulait me faire inscrire.

Et puis, quelques jours plus tard j'ai pensé à la façon dont je venais d'y mettre les pieds, dans ce club, et franchement je me dis que ça aurait pas été plus mal si seulement ça avait pu se passer d'une autre façon.

Quand je suis arrivé, ils ont voulu que je mette les gants, juste pour voir. Comme club, c'était vraiment le format au-dessus du Centre social. Au Centre, pour s'entraîner, il fallait d'abord attendre que les filles de l'expression corporelle aient fini de danser. Ensuite seulement on disposait de la salle. On attendait, elles passaient devant nous en collants, on sifflait, elles haussaient les épaules. Après, on s'installait. Ce qui donnait l'illusion d'une salle pour la boxe, c'était juste le sac de sable pendu dans un angle, ça et rien de plus. Dans le club au contraire, il y avait tout. Le ring, les projos, les tapis, les vestiaires, les glaces, les agrès, le matériel, tout. Ça sentait même l'embrocation et la résine. Comme sur les vrais rings.

Ils m'ont demandé de passer les gants. Et ils m'ont montré le partenaire qu'ils avaient choisi pour moi. Un monstre. On tirait pas dans la même catégorie, lui et moi. Je lui rendais bien quatre ou cinq kilos, et au moins deux ou trois kilomètres en allonge. C'est juste histoire de voir, ils disaient. J'avais flippé tout le jour en pensant à ce que j'allais dire aux dirigeants de ce club, comment j'allais me présenter, je m'étais soigné question sapes, j'étais allé chez le coiffeur, et voilà, pour finir j'allais me retrouver en short devant King-Kong.

Je me suis mis en tenue dans les vestiaires, et ils m'y ont laissé mariner pendant qu'ils discutaient, dehors. J'ai attendu. J'ai attendu jusqu'à ce qu'elles viennent, ces saloperies de straches. Elles sont venues. Avec tout ce qu'il fallait, la boule à l'estomac, l'envie de gerber, les intestins qui se liquéfient, le sang qui se taille, et ce grand vide qui t'arrive dessus d'un seul coup et qui s'installe dans tout ton corps. La panoplie complète. En prime, pour la première fois, j'ai même eu droit à la sueur sur le front, et là, franchement, je voyais pas comment on aurait pu interpréter ça comme un bon signe. Tête de moi, je le jure, j'ai eu envie de tout abandonner.

Michel m'a appelé au moment où je venais de décider de tout laisser tomber et basta. Je me suis levé. J'aurais donné dix ans de ma vie pour être ailleurs.

Dans la salle, j'ai rien vu. Il y avait une dizaine de types autour du ring, on entendait les coups des mecs qui s'entraînaient au sac et aussi le tap-tap de la corde à sauter, des voix résonnaient dans un coin, Michel me bandait les phalanges, il me nouait des gants d'emprunt, il assurait le casque de cuir sous mon menton, et je voyais même pas King-Kong là-bas en face de moi, de l'autre côté du ring.

Michel m'a dit des mots à l'oreille, j'ai rien compris. J'essayais de respirer. Il fallait que j'aille très loin dans mes poumons pour y trouver un peu d'air. Et puis j'ai levé les yeux, j'ai regardé le plafond, j'avais envie de m'aveugler dans les projos et de plus penser du tout. Michel m'a collé le protège-dents, un type a frappé le gong et je me suis retrouvé debout.

King-Kong faisait rouler ses muscles au milieu du ring. Il a vu que j'avais les jetons, il a souri, il a eu l'air de se demander comment il allait me bouffer. C'était pas un sourire méchant. Il avait seulement l'air de se demander comment il allait me détruire sans me faire trop mal. Juste ce genre de sourire qu'on adresse à un gamin qu'on va dézinguer pour lui apprendre à vivre. Pour son bien. Le sourire d'un prof quand tu viens de lui poser une question qu'il trouve tarée, et tu vois gros comme une maison qu'il a envie de te descendre en flammes et de se foutre de ta gueule devant tes potes, rien que pour te punir d'avoir posé une question comme celle que tu viens de poser.

Alors tout s'est effacé. Tout. Le ring, King-Kong, ce sourire, ce mépris. C'était comme si, d'un seul coup, je venais de rentrer dans mon corps après une longue absence, et que je retrouvais dans chaque pièce toutes les choses bien à leur place, bien rangées à portée de la main, j'avais plus qu'à me servir pour prendre tous les trucs dont j'avais besoin. C'était réellement aussi simple que ça.

Et je savais de quoi j'avais besoin. Contre ce gorille qui roulait les mécaniques et qui me regardait de haut et qui voulait m'éclater, je savais exactement ce qu'il me fallait.

J'avais même pas à réfléchir.

J'avais qu'à me caler la tête derrière les gants et à foncer droit devant dans ce gros tas de muscles et sa tronche de raie et sa vue basse et son gros ventre et son sourire, et à lui éclater la gueule avant qu'il puisse me faire mal et à en finir au plus vite pour qu'il ait pas le temps de se reprendre et de se mettre à boxer. C'était lui ou moi, et j'avais pas besoin de penser cent sept ans, je savais exactement où trouver ce qu'il me fallait pour dégommer ce gorille, tout venait vite et bien, j'avais qu'à me servir dans tous les compartiments bien rangés de mon corps.

C'est là que j'ai dû trouver ce double crochet qui l'a expédié au tapis.

Des types ont sauté sur le ring. Ils m'ont arrêté. Ils me tenaient par les épaules. Michel gueulait, arrête, Nouredine, arrête. King-Kong était à genoux devant moi. Il a levé la tête. Il a dit, il est louf, ce mec. Il était tout pâle. Des mains m'ont tiré en arrière. C'est seulement quand ils m'ont assis sur mon tabouret que je me suis rendu compte de ce qui se passait.

J'ai soufflé, très fort. J'ai soufflé longtemps, et très fort.

J'essayais de sortir de cette maison où j'étais rentré le temps du combat, et où tout se passait si bien qu'il était trop facile de se servir de tout ce qui y était si bien rangé, vraiment trop facile, parce que cette commodité-là risquait de conduire à une explosion que personne aurait pu prévoir ni contrôler.

Je voudrais me faire bien comprendre. Je veux simplement dire que là, pendant le combat, ça avait été comme si je venais de pénétrer à l'intérieur de mon corps et de mes muscles et de mes nerfs, et que j'avais pu y trouver exactement tout ce qu'il me fallait pour expulser ma peur, et finalement j'avais rien connu d'aussi dangereux que ça. Jamais.

C'est ce que j'ai essayé d'expliquer à Michel pendant qu'il me ramenait chez moi en voiture. Que j'avais fait qu'appliquer ce qu'il m'avait toujours dit.

Qu'entre deux boxeurs qui se valent à peu près physiquement, la différence tient d'abord à ce qui se passe dans le crâne. Celui qui frappe le plus fort, c'est celui qui balise à mort. Parce qu'il est prêt à tout pour éliminer le type qui est là devant lui et qui lui flanque une pétoche à gerber.

Il a dit oui. Oui, oui. À une différence près, Nouredine. C'est que le type devant toi, ce soir, physiquement t'aurais jamais dû pouvoir l'inquiéter. Il y a autre chose que la peur, tu comprends. Et cette autre chose, je sais pas si c'est toujours bon de l'avoir.

Il en a pas dit plus. J'ai pas insisté. S'il avait quelque chose à m'expliquer de façon plus précise, il me l'expliquerait au moment où il le jugerait utile. Les profs, ça aime toujours expliquer les choses de façon précise, j'avais pas de mouron à me faire.

J'ai retrouvé mes potes dans la galerie marchande. Ils étaient pas venus voir ce combat. Tant mieux. C'était une histoire qui regardait que moi. Je leur ai pas raconté.

On a tourné un moment dans la cité. J'avais envie de bouger. C'était comme si j'avais été à l'étroit dans ma peau. Dans la cité aussi. Jamais je l'avais vue aussi petite, et aussi fermée. Je me suis dit que si ça continuait, je finirais par ressembler à une bête en cage. Dix pas à gauche, dix pas à droite, et tu recommences et tu en as pour ta vie entière. J'ai eu envie de gueuler, là, au milieu de la place. Gueuler ou frapper.

Lola s'est retournée. Elle m'a regardé. Elle m'a dit, tu viens, Nouredine. Elle souriait. C'était la première fois qu'elle me parlait. Et elle me souriait, à moi. Putain de mes os. Elle ressemblait de plus en plus à une chanson que je pourrais jamais plus oublier. Je me suis approché d'elle. Elle m'a dit, pourquoi tu restes toujours derrière, j'aimerais mieux que tu sois là. J'ai rien dit. Il y avait rien à dire.

On s'est revus le lendemain. Et le surlendemain. Elle voulait que je vienne m'asseoir à côté d'elle. J'ai commencé à penser à autre chose qu'à la boxe. Elle m'a dit, je me demande, Nouredine, si tu es timide ou si tu es sauvage. Elle avait dû entendre ça dans un film, la formule lui avait plu, elle la ressortait. Ça me gênait pas. Pas du tout. Dans sa bouche, cette formule paraissait neuve, et elle s'adressait à moi. Je demandais rien de plus. J'ai souri.

C'est ce soir-là, juste à la fin des cours, que Michel m'a fait appeler par le concierge du L.E.P. Cinq minutes avant la fin du cours de maths, le concierge est arrivé, Nouredine Alaoui est demandé au gymnase. Michel m'attendait. Il venait de recevoir un coup de téléphone. Les types du club voulaient que je m'inscrive chez eux, ils étaient même prêts à payer

116

l'équipement, ils tenaient absolument que j'y aille, dans leur club, et Michel voulait me ramener en voiture chez moi pour expliquer le topo à mes parents.

J'ai dit que non, pas la peine, il y avait personne à la maison, et pour le club j'allais réfléchir.

Je préférais qu'il voie pas où j'habite. Il existe des choses dont on a le droit de pas être fier. J'ai inventé des craques, mon père qui rentrait très tard, ma mère chez sa sœur, des histoires. Et j'ai dit aussi que pour le pognon, je me débrouillerais sans qu'on me fasse de cadeaux, je pouvais payer, je me débrouillerais seul et merci quand même.

Il a pas insisté. Il a dit, alors demain, à l'entraînement au Centre social, on réglera tout ça, il faudra la signature de ton père. J'ai dit, merci monsieur, d'accord.

Avant de se tailler, il m'a serré la paluche d'une drôle de façon. Il voulait me dire quelque chose. Peut-être la même chose que l'autre jour. Avec un truc de gentil en plus. Ça craignait. J'ai coupé court.

Après, je suis pas rentré chez moi. Pour entendre le vieux gueuler contre mes sœurs parce qu'elles veulent sortir le soir, merci bien. Ou mes frangins qui braillent et pendant ce temps ma mère qui se lamente, non, j'aimais mieux être dehors.

Et puis je venais de bouffer d'un seul coup un sacré paquet de dynamite et il fallait que je la recrache. C'était pas en m'enfermant chez moi que j'y parviendrais. Il fallait que je marche.

J'ai traîné pendant un moment. J'avais envie de faire comme Chérif l'autre jour, quand il boxait l'ombre. Je parvenais pas à décompresser. Ce club qui prenait la peine de téléphoner à Michel pour dire qu'ils étaient prêts à me payer l'équipement et tout le matos pour que je m'inscrive chez eux, ça voulait dire quelque chose. On fait pas une démarche pareille pour un ringard. Bon sang, la façon dont j'avais éclaté leur King-Kong, ça avait dû les impressionner vilain. S'ils tenaient à m'avoir chez eux, c'est qu'ils me voyaient un avenir.

Un avenir. Moi. Dans la boxe. Ailleurs. Loin. Je serrais les poings en marchant. Tête de moi, je le jure, je riais tout seul. Et je suis tombé sur Lola.

On aurait dit qu'elle m'attendait. Elle est venue vers moi. J'ai pas pu me retenir, je lui ai dit que j'avais des choses à lui raconter. Pas devant les potes. Et pas ici.

J'ai proposé un tour en ville. Elle m'a regardé. Je veux dire, vraiment. Dans les yeux. Ça l'étonnait que je prenne l'initiative. Moi qui restais toujours derrière. Elle me regardait, et ce que j'ai vu dans ses yeux m'a donné encore plus de bouillon. Bon sang, je pétais le feu.

Pendant tout le trajet en bus, j'ai tchatché. Je lui ai rien expliqué pour l'engagement au club. C'était mon affaire. Je me la gardais. Bon sang, je venais juste de comprendre que j'avais vraiment de l'avenir dans la boxe et une belle dose de poudre dans ces poings-là, j'allais pas le crier sur la place publique. Il fallait d'abord que je m'habitue. A Lola, je lui raconterais tout un peu plus tard.

Dans les rues piétonnes du centre-ville, à cette heure-ci, il y a du monde. Ça vit. C'est pas comme dans la cité. Et il y a des gens qui ont l'air d'avoir du temps et du fric pour le dépenser, et ça c'est le genre de truc qui me botte.

On a marché au milieu de la foule pendant un moment, et après j'ai payé une glace à Lola. Pendant qu'elle la mangeait, elle s'est approchée de moi. J'ai pas pu me retenir. Je lui ai dit, pour la boxe. Le combat, le Club, l'engagement, et tout ce qui s'ouvrait maintenant devant moi.

Elle m'a encore regardé dans les yeux, pendant longtemps. Elle avait toujours sa tête de chanson. La différence, c'est que maintenant j'étais sûr de tout connaître de la musique et des paroles, et que j'étais sûr aussi que cette chanson-là s'était plantée tout au fond de ma tête et que c'était pour un bon bout de temps.

Je l'ai regardée à mon tour, et j'ai vu dans ses yeux ce que j'espérais y voir. Tête de moi, ça a été exactement comme si j'avais avalé encore un peu plus de dynamite, et alors j'ai tendu la main vers elle.

J'avais le bras tendu vers elle, comme ça, au milieu de la rue, et ce type est venu me rentrer dedans. Un skin. Il avait mille fois la place de passer à gauche ou à droite, et au lieu de ça il a foncé tout droit et il a buté sur mon bras. Juste entre Lola et moi. Il a dit, tire-toi de là, mec, fais pas obstacle. J'ai retiré mon bras. Je voulais pas la bagarre. Je voulais tout sauf la castagne.

Pas lui. Il a avancé la main et il m'a poussé à la poitrine. Il a dit, tire-toi, bougnoule. J'ai fermé les poings. Je jure que je cherchais pas la bagarre. Je voulais pas d'embrouille. Pas aujourd'hui.

Il m'a encore poussé un peu plus loin. Il a encore dit, alors t'as la trouille, bougnoule. Et il a dit aussi, tire-toi de là, t'en occupe pas de cette meuf, les filles blanches c'est pas pour les ratons.

Alors Lola l'a agrippé par le col de son bombers. Petit con, elle a dit. Elle lui criait dans l'oreille. Espèce de petit con, tu sais comment je m'appelle, elle a attendu, elle lui plantait les ongles dans le nylon du bombers, et elle a dit, Leïla, je m'appelle Leïla, petit con, et moi c'est les mecs comme toi qui me font gerber.

Il s'est retourné, et il lui a craché à la figure.

Et tout de suite après il s'est retourné encore pour me faire face, comme s'il avait eu peur que je lui saute sur le dos. Il s'est mis en position de garde haute. L'idiot. Il avait vu ça au cinéma, c'était une garde beaucoup trop haute et il avait aucune mobilité. Ça allait être du gâteau. J'ai pas résisté.

Quelques jabs, une feinte, un redoublé menton plexus, un direct à la mâchoire, et un crochet au foie pour finir le travail. J'avais cogné sec, je voulais pas que ça dure et que les flics aient le temps d'arriver. Il a vu venir aucun de mes coups. Il s'est plié en deux, il a ouvert la bouche, et il s'est éparpillé sur le macadam.

Il avait plus besoin de moi. J'ai tendu le bras, j'ai pas dit un mot, j'ai pris Leïla par le coude. Je trouvais que c'était une jolie manière de m'en sortir, propre et nette, un peu comme dans un western, et que j'avais plus qu'à écarter le cercle des badauds et à tailler la route pour que tout soit fini.

J'avais pas vu ses copains, au skin. Toute sa bande en treillis et rangers. Je faisais pas le poids. Dès qu'ils ont commencé à bastonner, j'ai su que c'était fini pour moi.

Maintenant, il suffit d'attendre. Il paraît qu'on est costaud, à mon âge. Je me réparerai petit à petit. Le toubib qui m'a opéré les mains, il a dit que c'était de la dentelle, comme boulot. Évidemment, les mains écrasées par des rangers, mes os, de la bouillie.

Michel me dit que si tout va bien je pourrai peut-être reprendre l'entraînement dans un an. Peut-être.

Leïla est assise à côté de mon lit. Par la fenêtre ouverte de la chambre, le soleil vient jusque sur mes draps. Dehors, dans le parc de l'hôpital, des oiseaux chantent. La télé dit qu'il fait très beau pour la saison. J'ai un sale goût dans la bouche.

Trois mille six cents
morceaux d'éternité

– C'est trop tard, dit Romain en tendant à Éliane le vélo de piste à cadre plongeant. Au Mexique cette saleté de vent se lève toujours en fin d'après-midi et tu vas l'avoir dans le nez.

– Elle réussira, dit Alexandre. Voilà des années qu'elle travaille dur et je ne vois pas pourquoi elle ne réussirait pas.

Il s'était approché d'Éliane et il avait posé le bras sur ses épaules. Il sentait sous ses doigts le tissu élastique et froid de la combinaison moulante, et, par-dessous, il pouvait sentir aussi la crispation des muscles de la championne pendant qu'elle serrait sous son menton la sangle du casque profilé. Elle se tenait debout à côté du vélo, les jambes légèrement écartées et le bout des pieds curieusement relevés à cause de la rigidité de ses semelles.

Le soleil était encore chaud, et la piste du vélodrome de Mexico paraissait dorée, tendre et presque veloutée.

À part eux trois et les commissaires de course officiels chargés de veiller à la régularité du record, il n'y avait dans le vélodrome qu'une poignée de spectateurs.

Éliane enfourcha son vélo, chercha la position exacte qu'elle devait prendre, remua un court instant sur la selle, s'appuya sur le commissaire officiel mexicain qui retenait la machine, finit par se mettre en place comme elle l'avait fait tant et tant de fois tout au long de ces années d'entraînement.

– Il faut s'y mettre, dit Romain. Une seconde c'est une seconde, et si on attend encore elle va en gaspiller un sacré paquet à cause du vent.

Il avait une main posée sur l'épaule d'Éliane et une main posée sur le guidon, et il devait se pencher en avant pour regarder Alexandre en lui parlant. Éliane ne bougeait plus du tout. Soutenue d'un côté par le commissaire et de l'autre par Romain, elle était à présent totalement immobile, en équilibre sur deux centimètres carrés de gomme. Ses doigts étaient serrés sur le cintre et les muscles de ses avant-bras étaient durs et raides.

– Laisse-la se concentrer, dit Alexandre sans regarder Romain.

– Serrez mes cale-pieds, dit Éliane d'une voix qui passait mal.

Le commissaire mexicain assura ses prises sur le vélo qu'il avait empoigné par le guidon et par la selle, tandis que, de l'autre côté, Romain retenait Éliane par l'épaule. Alexandre se pencha pour serrer un de ces cale-pieds anciens qu'Éliane avait voulu ajouter aux pédales automatiques pour éviter tout risque, puis il fit le tour pour aller serrer l'autre cale-pied.

Éliane s'était redressée. Elle avait le buste droit, la tête droite également, et elle fixait devant elle un point qui semblait très loin et très petit, là-bas, au bout de la piste. Elle avait laissé tomber les bras le long de son corps, et maintenant elle était souple et détendue. Elle respirait avec beaucoup de lenteur et de régularité, en soufflant l'air à travers ses lèvres arrondies.

Quelques cris montèrent d'un petit groupe de supporteurs qui s'étaient massés dans les tribunes au niveau de la ligne de départ. Ils n'étaient qu'une cinquantaine, pas plus, et le vélodrome en paraissait d'autant plus vide.

– Les pistes en altitude, dit Romain, je n'en connais pas une où il y ait du public. D'accord on va plus vite quand on tente le record en altitude, mais on n'a jamais l'appui d'une foule qui crie des encouragements. Finalement, on y perd peut-être.

Éliane n'entendait rien. Elle avait toujours le buste aussi droit et le regard aussi fixe, et là où elle était à présent il n'y avait personne d'autre qu'elle-même et elle savait qu'elle ne pouvait plus attendre d'aide.

– Quand tu veux, dit Alexandre.

Les heures et les heures et les heures d'entraînement, les essais en soufflerie, la torture des séances de musculation, les calculs scrupuleux d'Alexandre pour les temps de passage, l'épuisement, les larmes et le travail d'équipe, tout cela avait disparu. Elle était seule et jamais dans sa vie elle ne s'était sentie aussi seule.

Elle souffla une dernière fois comme si elle avait voulu expulser tout l'air qui était en elle, puis elle se pencha en avant, saisit le guidon par en bas, arrondit le dos, vérifia une dernière fois par de courts mouvements des chevilles que ses pédales étaient bien fixées, s'immobilisa enfin.

Elle était seule et elle savait que son corps était en train de venir au rendez-vous qu'elle lui avait fixé.

Alexandre jeta un œil vers les officiels de la Fédération internationale qui allaient enregistrer le record de l'heure. Certains se tenaient debout, d'autres étaient assis derrière une table, et pas un seul d'entre eux ne bougeait. Ils étaient figés dans leur position. On aurait dit qu'ils avaient pris la pose pour se laisser photographier.

Éliane non plus ne bougeait pas, mais il y avait une telle tension dans tous ses muscles que cet ins-

tant ne pouvait pas durer plus longtemps. Ni cet instant fragile ni les mois de préparation ni les années
d'entraînement ni les gestes mille fois répétés ni tout
ce temps qu'il avait fallu pour en arriver là, sur cette
piste-là, à ce moment précis, plus rien ne pouvait
durer maintenant.

Elle poussa un cri, un seul, une sorte de râle venu
du fond de la gorge, et elle donna la première impul-
sion du premier coup de pédale.

Alors, tandis que les aiguilles des chronomètres
commençaient à tourner, le temps depuis si longtemps suspendu parut exploser, et Éliane pénétra
enfin dans le présent.

Fais-toi respecter

– Bien sûr qu'un match de Coupe d'Europe doit être engagé, dit Cyrille, mais enfin il ne faut pas exagérer. Je vois sur ce terrain des gestes qui ne me plaisent pas.

Il portait un de ces micros légers, relié aux écouteurs par un mince tube incurvé, et il parlait sans accorder un coup d'œil au journaliste installé à côté de lui dans la tribune de presse. Toute son attention se concentrait sur le match qu'il commentait depuis les hauteurs du stade.

– Vous avez sans doute raison mon cher Cyrille, dit le journaliste, toute la question est de savoir où se situe la limite. Surtout avec un tel enjeu. Attention, les bleus à l'attaque, le ballon dans les pieds de Sekou, il le garde, revient sur lui-même, toujours Sekou.

– Il devrait donner sa balle, dit Cyrille. Devant une défense pareille on ne doit pas trop tripoter le ballon. Donne ton ballon, mais donne-le donc.

Il s'était exprimé comme s'il avait été lui-même sur le terrain, et comme s'il s'adressait directement au joueur bleu qui, là-bas, au milieu de plusieurs maillots rouges, pivotait, s'embarquait dans un dribble, s'enfermait, résistait à une charge, trébuchait, conservait pourtant le ballon, cherchait derrière lui l'appui d'un équipier.

– Il aurait dû remiser tout de suite, dit Cyrille en se tournant cette fois vers le journaliste. Maintenant c'est fichu.

Le journaliste approuva.

– Cette défense c'est quelque chose, dit-il. Heureusement que Sekou est costaud, il est solide le bougre, il donne sur sa gauche à Joly qui file sur l'aile avec Smithson sur le dos, c'est un drôle de client celui-là, et voilà, c'est un tacle musclé dites donc, il n'y va pas avec le dos de la cuiller notre ami Smithson, ce match est vraiment viril, un match à la limite, et merci monsieur l'arbitre, coup franc en notre faveur, encore un.

Il avait une voix de professionnel, chaude, timbrée, et il ne baissait presque pas le ton à la fin de ses phrases.

Ils regardèrent tous deux les équipes se préparer au coup franc. Ils n'avaient ni l'un ni l'autre besoin d'expliquer ce qui se passait sur le terrain. Les images du réalisateur de la télévision travaillaient pour eux. Le journaliste se tourna vers Cyrille.

– Elle est agressive, cette défense, n'est-ce pas, rugueuse et vraiment agressive, on a l'impression qu'il y a des maillots rouges partout, on se demande comment nos attaquants vont réussir à s'infiltrer dans des espaces aussi réduits.

Cyrille observait l'écran de contrôle situé devant lui. Il scrutait les gestes du joueur qui plaçait le ballon à l'endroit précis que lui désignait l'arbitre.

– Ce n'est pas vraiment une question d'espace, dit-il. On croit ça à cause des distances, les seize mètres cinquante, le mur à neuf mètres quinze, mais en fait c'est surtout une question de temps. Le foot est affaire de moment exact.

– A propos d'exactitude, dit le journaliste, le mur n'est pas à neuf mètres, ou alors il s'agit de mètres qui ne sont pas de chez nous, ils ont rétréci sous la pluie, et Mathieu tire quand même. Intérieur pied droit. Dégagement de la tête. Mac Namara, Molly, Sacks.

Les rouges contre-attaquaient. Ils jouaient par déviations, à une touche, et la balle circulait vite. À la lumière des projecteurs, le rouge de leurs maillots était si lumineux qu'il paraissait presque phosphorescent.

– Attention, dit Cyrille, attention.

– Centre au deuxième poteau pour Alan Foyle, tir dans la foulée, ouf on a eu chaud. Sortie de but.

– Bien joué, dit Cyrille aux joueurs qui ne pouvaient pas l'entendre.

Encore une fois, il parlait comme s'il était sur le terrain. Au moment du tir, il s'était penché en avant et il avait accompagné toute l'action d'un grand mouvement d'épaules. Le journaliste s'en aperçut et posa la main sur son bras.

– Ça doit vous rappeler quelques bons souvenirs.

Les joueurs bleus remontaient le terrain, et dans la clarté électrique qui trouait la nuit on pouvait s'apercevoir que la pelouse elle aussi paraissait d'une couleur trop violente, presque artificielle.

– Ça me rappelle surtout un match à Wembley, dit Cyrille. Un gazon tondu à l'anglaise, une vraie moquette, et en plus il pleuvait, sur un terrain mouillé la balle fuse, elle prend de la vitesse, et comme avant-centre dans ce match, je m'étais régalé, c'était une époque où les attaquants pouvaient encore s'exprimer.

L'équipe bleue avait repris sa domination. Les joueurs assuraient leurs passes, ils occupaient l'aire de jeu sur toute sa largeur, ils faisaient voyager le ballon, et ils butaient toujours sur la défense des rouges.

– Si je ne me trompe pas, mon cher Cyrille, vous aviez marqué deux fois ce jour-là avec l'équipe de France.

– Plus un tir sur le poteau, dit Cyrille.

Le jeu des bleus prit soudain de la vitesse. Il y eut une passe en profondeur, dans l'axe. Un joueur bleu démarra, lâcha le défenseur qui le marquait à la culotte, parvint le premier sur la balle.

– Pelletier, dit le journaliste. Pelletier tout seul à vingt-cinq mètres.

– Derrière toi, dit Cyrille. Derrière toi, attention, le tacle, oh le tacle, oh non.

– Il faut siffler monsieur l'arbitre, dit le journaliste, il ne faut pas laisser passer des choses pareilles.

Le joueur étendu portait les mains à son genou et renversait la tête en arrière, tandis que l'arbitre, d'un geste du bras, indiquait que la partie pouvait continuer.

– Ah pour ça, personne ne pourra prétendre le contraire, c'est un match d'hommes, dit le journaliste. On ne se fait aucun cadeau sur le terrain.

– Monsieur l'arbitre, dit Cyrille, monsieur l'arbitre.

Il avait oublié le micro. Il criait presque, et il s'était à moitié dressé en prenant appui sur les accoudoirs de son fauteuil. Le journaliste lui posa de nouveau la main sur le bras, et il la laissa là, sans bouger.

– Sacks passe à Mac Namara, dit-il comme s'il n'avait pas senti sous sa paume le frémissement inquiétant des nerfs de Cyrille. Mac Namara pour Springfield sur sa gauche. Sacks encore. Fowley.

Il énumérait les noms, et il s'appliquait à ne laisser percevoir aucune tension dans le ton de sa voix.

– Parodi qui s'interpose. Bon jaillissement. La balle aux bleus. Marceau. Joly. Abderamane. Qui obtient une touche, elle sera bleue.

Cyrille ne regardait pas l'action. Il observait l'avant-centre qui avait été durement taclé tout à l'heure et qui avait gagné en boitant le bord du terrain. Le joueur était assis sur l'herbe, derrière la ligne de touche, et se laissait soigner par les kinés du club. Le bras de Cyrille vibrait toujours, et ses mains étaient toujours crispées sur les accoudoirs de son fauteuil.

– Marceau de nouveau, dit le journaliste d'une voix calme. Derrière lui pour Roy. Roy, N'Douma. N'Douma, Roy. On ne va pas marquer si on continue de cette façon. Roy, Parodi, Joly. C'est latéral, tout ça, on n'avance pas.

Les soigneurs avaient maintenant étendu l'avant-centre dans l'herbe et lui palpaient le genou.

– Si l'arbitre ne protège pas les attaquants, c'est la fin du foot, dit Cyrille.

La soudaineté de sa remarque surprit le journaliste. Il suivait la progression des joueurs bleus et il avait oublié le joueur blessé. Il tourna la tête vers Cyrille, s'étonna de sa pâleur, ouvrit la bouche, voulut dire un mot, n'en eut pas le temps. Les joueurs rouges avaient chipé le ballon et lançaient une attaque sur leur aile droite. En trois passes, ils étaient déjà près du poteau de corner. Leur ailier centra dans le paquet, puis il y eut une tête d'un défenseur, une autre tête d'un attaquant, un tir contré, un cafouillage, et, pour finir, l'arbitre siffla un coup franc en faveur des bleus.

– Ouf, dit le journaliste, on a eu peur. Ça fait du bien quand ça se calme. Quand ces diables veulent attaquer, ils y mettent le paquet.

Il avait essayé de parler avec dynamisme, pour obtenir une réponse de Cyrille, et il eut l'impression que son effort tombait à plat. Sa voix sonnait faux.

– Pelletier demande à rentrer sur le terrain, dit Cyrille qui n'avait pas quitté des yeux l'avant-centre blessé.

– C'est un gaillard robuste, dit le journaliste en forçant son sourire, il en a vu de pires et il en verra d'autres. Regardez-le, un coup d'éponge magique et il trotte comme un lapin, ou en tout cas c'est à souhaiter parce qu'on a besoin de lui à la pointe de l'attaque.

Pelletier courait à petits pas, en pliant le genou de manière exagérée pour bien faire jouer l'articulation. Il paraissait ne s'occuper que de sa jambe et il ne levait pas la tête.

Ses équipiers conservaient le ballon au milieu du terrain. Ils redoublaient leurs échanges en attendant de trouver une faille dans la défense. On les voyait lever le bras pour désigner un coéquipier démarqué ou pour appeler la passe, et leurs cris parvenaient parfois à percer sous les chants des supporteurs.

– N'Douma, Marceau, il faut accélérer, il faut prendre des risques, en retrait pour Maleki, il est monté, il abandonne son poste de libero, une-deux avec Joly, oui, voilà, le salut va peut-être venir de Maleki, en profondeur pour Pelletier, quelle belle passe, allez mon gars, vas-y, vas-y.

Le journaliste avait parlé de plus en plus vite, et sa voix était montée d'un ton.

L'avant-centre était au coude à coude avec deux défenseurs, et au moment de donner le dernier coup de reins il eut un très bref temps d'hésitation. Ce flottement suffit. Les arrières lui coupèrent la route et il dut s'écarter. Il leva le bras en direction de l'arbitre pour réclamer une faute.

– Il n'y a pas faute, dit Cyrille, pour une fois la charge était correcte. C'est Pelletier qui a eu peur. Et quand un attaquant montre qu'il a peur, c'est fini pour lui.

– Vous en savez quelque chose, dit le journaliste. En club aussi, vous avez affronté des équipes qui ne faisaient pas dans la dentelle.

– J'y allais au culot, dit Cyrille. Quand vous jouez devant, il faut que les arrières aient la trouille avant vous.

– La recette ne devait pas être mauvaise, vous avez planté un nombre impressionnant de buts au cours de votre carrière. Et des jolis.

– Tant que le jeu restait correct, ça allait. Ça n'est pas toujours le cas.

Sa voix était devenue amère sur les derniers mots. Amère, dure et méchante. Le journaliste n'insista pas. Il revint à la description du match, recommença de nommer les joueurs qui recevaient le ballon, mentionna le temps qui passait : on approchait de la moitié de la seconde mi-temps, et les bleus ne parvenaient toujours pas à rattraper leur but de retard.

– Cette fois-ci, je crois que les carottes sont cuites, dit-il après un silence. Avec ce 0-1 et l'assurance que montrent les rouges, le résultat semble plié.

– Je le crains aussi, dit Cyrille. Surtout devant une défense pareille.

Sa tension s'était relâchée, mais quelque chose subsistait de sa nervosité excessive dans sa façon d'attaquer les mots, et aussi dans sa façon de se caler bien au fond de son fauteuil de cuir et de toile tout en croisant et décroisant sans cesse les doigts.

– A moins d'un miracle, dit le journaliste. Peut-être cette montée de Sermane, là-bas. C'est la première fois qu'il s'aventure au-delà de la ligne médiane. Il a raison, il faut tout tenter.

L'arrière droit des bleus filait le long de la touche, attirait un adversaire, le feintait d'un grand pont inattendu, reprenait sa course, levait la tête, apercevait Pelletier qui s'enfonçait dans la défense, lui adressait une longue ouverture.

L'avant-centre accéléra. Un arrière se précipita à sa rencontre. Les buts n'étaient qu'à une trentaine de mètres.

– Fais-toi respecter, dit Cyrille. Impose-toi, vas-y, impose-toi.

Il parlait encore une fois comme s'il avait été sur le terrain, mêlé aux autres joueurs, et on aurait dit que Pelletier l'entendait. L'avant-centre fonça. Il savait qu'il y aurait un choc et il ne voulait pas reculer. Pas maintenant. Il se lança.

Les supporteurs retenaient leur souffle. Le stade entier s'était tu.

On entendit très distinctement le claquement de l'os quand les semelles de l'arrière percutèrent la jambe de Pelletier.

L'arbitre siffla. Les défenseurs avaient déjà dégagé le ballon. Ils protestèrent. Le public grondait. L'arbitre se pencha sur Pelletier. Des joueurs rappliquèrent par grappes. On s'agglutinait. Des clameurs montaient dans les tribunes. L'arbitre s'approcha de l'arrière fautif, leva bien haut un carton rouge. Des sifflements tournoyaient au-dessus de la foule.

Des brancardiers pénétrèrent en courant sur le terrain.

Même le gardien des bleus avait déserté ses cages pour venir aux nouvelles. Des joueurs des deux camps commençaient à s'affronter du geste. Les arbitres de touche entrèrent eux aussi sur la pelouse. Les hurlements et les sifflets envahissaient le stade.

– Quel choc, dit le journaliste. C'était une véritable agression. Espérons au moins que la blessure aura été franche et qu'il n'y aura pas de complication, parce que nous savons tous ce qu'une blessure mal soignée peut provoquer et à quoi elle peut réduire un joueur en pleine force de l'âge, une moitié d'homme, nous connaissons hélas des exemples et...

Il s'interrompit d'un seul coup, laissa sa phrase en suspens, se tourna vers Cyrille :

– Excusez-moi, c'est l'émotion, je ne voulais pas, enfin je voulais dire, non, rien, excusez-moi

Cyrille s'était reculé. Il fixait l'écran de contrôle qu'il avait sous les yeux. Son regard était immobile et il ne disait rien. Il avait les deux mains posées sur les hautes roues de son fauteuil d'infirme, il scrutait les images et il ne disait absolument rien.

Soigne les préparatifs
mon vieux

Paris-Dakar, c'est pas de la gnognote. Je suis payé pour le savoir, j'en ai perdu deux.

Celui-ci, je le gagnerai.

Je sais pourquoi j'avais échoué. J'avais négligé ma préparation. Ce coup-ci, je me dis soigne les préparatifs mon vieux. Si tu t'y prends bien tu vas casser la baraque.

Machine, matos, équipement. Rien que du costaud. Faut assurer, surtout quand on court comme moi en indépendant. Les écuries d'usine c'est contraintes et compagnie. Tactiques, consignes, tout le fourbi, obéis et ferme-la. Que ça te plaise ou non, pareil. Et si tu gagnes, c'est toujours à cause de l'excellence de la marque, jamais grâce au pilote. À d'autres ces salades. J'ai choisi la compète pour la liberté. Donc je cours en privé. Ça m'empêche pas de tout prévoir au petit poil. Je suis le mec sérieux, toute la caravane vous le dira.

Question machine d'abord. Ma bécane est prête. Suzuki GSX R-1000. Une bête de paddock. J'ai le dépliant, là, sous les yeux. De la bombe.

On la chaussera comme une reine, j'ai veillé au choix des gommes. Un train de pneus au top du top. Des 16,5 et des 17 pouces. Pas de surprises. J'ai tout prévu. Même fixé les gonflages : 2,1 à l'avant, 2,9 à l'arrière.

Rayon muscu, j'assure aussi. Certains concurrents prennent leur entraînement par-dessus la jambe. Zozos. Le Dakar pardonne jamais. Course sans pitié. Les freluquets s'éliminent d'eux-mêmes. Moi je me muscle. Course à pied quatre fois par jour. Sac au dos. Un sac bourré de bouquins. Genre commando. Et pompes dans ma chambre. Ça rigole pas.

Ma mère pige que dalle. Se figure que je suis barjo. Mon père itou. Mais je bouffe comme quatre, ça les rassure. Ils doivent croire à une lubie. Tu parles. J'enfourne les corn-flakes, le miel, le lait malté, les barres énergétiques. Faut ce qu'il faut.

Diététique et muscu, c'est le secret. Déjà je bats le tram sur deux arrêts. Demain, sur trois. La superforme.

Pour les cartes du parcours, là, j'ai du mal. La géographie et moi c'est pas le grand amour. Toujours récolté des notes minables dans cette matière. Du coup l'an dernier je me suis paumé au milieu des dunes du Sahara. Pourtant j'avais surligné toutes les étapes. Au feutre jaune fluo. Dans l'encyclopédie de mon père. Mais j'avais sous-estimé les traîtrises du désert. Il faut que je m'améliore en géo. Et que j'apprenne à maîtriser le GPS. C'est une technique du feu de Dieu. J'apprendrai.

Le matos et les préparatifs c'est la clé de tout. Celui qui les néglige est mort.

Idem pour l'intendance. Ravito et tout le fourbi. Tente légère pour le bivouac, fringues Goretex, trousse de premier secours, bouffe lyophilisée, pièces détachées. Jamais trop méticuleux.

Reste la question du fric. Les sponsors. Là, c'est coton. Les mécènes se bousculent pas au portillon. Je me casse le chou à en trouver. Je découpe des pubs dans les journaux, j'aligne les marques, je compose même la déco de ma bécane avec les logos. Un coup de colle et le tour est joué.

Je m'y vois déjà. Mes copains aussi. Je leur montre mes cahiers. Des carnets de route hyper précis. Le parcours détaillé, ma moto décorée, le casque que j'ai déjà choisi sur catalogue, tout. Même les carnets que j'avais remplis l'an dernier et l'année d'avant. Ils en sont sur le cul.

Pas le prof de géo.

J'étais pourtant bien calme et silencieux au fond de la classe. Je découpais les pubs des sponsors au moment où il m'est tombé sur le poil. Il a rien voulu savoir. A confisqué mon cahier. Celui de cette année. Et m'a flanqué quatre heures de colle.

M'en fiche, l'an prochain c'est moi qui gagnerai le Dakar.

À ton âge

Ils en ont de bonnes. Qu'à mon âge je devrais me méfier. Surveiller mes efforts. Ne pas exagérer. Parce que la course, disent-ils, fatigue les articulations. Et le cœur. Fais attention à ton cœur.

Pendant quelques secondes, tout en continuant de courir elle surveilla sa montre de compétition, où elle pouvait lire la fréquence de ses battements cardiaques. Un peu moins de cent dix à la minute. J'ai un cœur de jeune fille. Elle sourit.

Le sol sous ses pas résistait juste comme il le fallait, ni trop souple ni trop dur, et elle avait l'impression de rebondir à chaque foulée sur la terre du chemin. Elle ne peinait pas. Ses muscles répondaient bien et son souffle était égal. Son corps se trouvait là où elle pensait le trouver. Le seul problème, c'était cet air chaud, humide, presque épais, qui empêchait de respirer à fond. L'orage de l'après-midi n'avait pas rafraîchi l'atmosphère, il avait seulement exalté les senteurs de la campagne. Elle renversa un peu le visage pour mieux sentir l'odeur râpeuse des fougères le long du chemin. Quand elle pénétra dans le sous-bois encore humide, elle reconnut aussi le parfum lourd et noir de l'humus et des champignons.

Ils l'emmèneraient au restaurant, bien sûr, ce soir, pour le repas d'anniversaire. Pas moyen d'y couper. Ni au bouquet de fleurs sous cellophane. Ni à ce refrain stupide qu'ils se croyaient obligés de chanter en anglais. En guettant son sourire. Et elle, souriant en effet, voyons mes petits, des fleurs pareilles, il ne fallait pas vous donner tant de peine. Et personne ne parlerait du double anniversaire. Personne.

Elle eut envie d'accélérer, se retint. Calme-toi, ne te laisse pas aller à la colère. On court mal avec la colère. Manque de lucidité. Combien de courses aurais-tu gagnées si tu avais cédé à l'énervement ? À Rome, cette blondasse qui t'avait serrée à trois cents mètres de la ligne, la foule qui hurlait, et toi, sereine, attendant qu'elle t'ouvre enfin le passage tandis que tu prenais sa foulée. Avant de la sauter aux vingt mètres. Tranquille. Victorieuse. Championne.

Il y a vingt-cinq ans. Un bail. Un autre anniversaire.

Happy birthday. Ce soir, il faudra t'habiller, mettre une robe. Laquelle ? La mauve ne me va plus du tout.

La bleue ? Voilà longtemps que plus personne ne porte des emmanchures pareilles. Vas-y donc en survêtement, au moins tu seras à ton aise. Et pourquoi pas le bouquet à la main ? Ça rappellera la grande époque, les fleurs à l'arrivée, le podium, les hymnes. La tenue idéale pour le souvenir, n'est-ce pas ?

Si je venais en survête, ils me prendraient pour une folle. Ils croiraient que je veux évoquer l'autre date. Celle dont personne ne parle.

Les arbres autour d'elle étaient à présent plus hauts, plus serrés, plus sombres. Elle se trouvait enfin dans la forêt. La vraie forêt. Le silence. La solitude. Le bonheur.

Et s'il t'arrivait quelque chose, as-tu pensé à notre inquiétude, tu n'es pas raisonnable, toute seule au milieu des bois, sur un chemin perdu où personne ne passe, tu prends des risques stupides, si tu ne penses pas à toi pense au moins à nous.

Que craignent-ils donc ? Que je me casse la patte en tombant ? Le col du fémur ? Bon pour les vieux. Laissez-moi encore un peu de temps avant de me traiter comme une vieillarde. Vous en faites déjà assez avec cet anniversaire, non ?

Elle se forçait à respirer avec régularité malgré l'air pesant. Inspire par le nez, compte tes foulées, expire par la bouche, insiste, souffle, compte bien les foulées, ne te précipite pas.

Elle retrouvait les réflexes depuis si longtemps travaillés. L'entraînement. La compétition. Les grandes épreuves. L'Europe, l'Amérique. Les marathons. Et les bouquets qu'on lui tendait à l'arrivée. Les fleurs étaient si parfaites qu'elles n'avaient jamais l'air vrai. Il fallait les toucher pour vérifier qu'il ne s'agissait pas de tissu. Des fleurs pour la photo.

Elle longea un massif de digitales pourpres qu'un rayon de soleil illuminait au milieu de la pénombre des sapins et des épicéas. Épicéas, tu en es sûre ? Et si c'étaient des mélèzes, des douglas ? Tu n'y connais rien. Elle essaya d'identifier les arbres. Pour les feuillus, c'était plus facile. Des châtaigniers, ça oui, avec leurs chatons de laine lâchés sur le chemin. Quelques chênes, des hêtres, des acacias. Des acacias, vraiment ? Je devrais apprendre le nom des arbres.

Un oiseau invisible trillait. Connaître aussi les chants des oiseaux. Et leur nom. C'est idiot de ne rien savoir des oiseaux. J'en entends si souvent au cours de mes sorties. Quand on est seule, on entend tout.

Bien des années auparavant, lorsqu'un journaliste lui avait demandé pourquoi elle s'était spécialisée dans le marathon, et pas dans le 10 000, pourtant avec votre talent tout le monde estime que vous feriez un malheur dans les courses de fond, elle avait répondu, j'aime le marathon parce que c'est une course qui ne se déroule pas dans un stade. J'aime la sensation de liberté que j'éprouve quand je cours dans la nature. Et pourquoi alors avez-vous une telle faim de victoires si votre plaisir est de courir librement? Parce que, mon petit, quand on gagne on est seul.

Après l'arbre mort, le chemin tournait à droite, s'étrécissait, montait en pente douce, s'enfonçait dans une ombre verte. Elle raccourcit sa foulée, jeta au passage un coup d'œil sur un arbre abattu. Un lichen couvrait le tronc, et, entre les branches enchevêtrées qui pourrissaient au sol, des épilobes pointaient leurs longues hampes. Jamais elle n'avait vu des fleurs d'un rose si vulnérable.

Elle souffla. La chaleur s'épanouissait même sous les résineux serrés. Une chaleur épaisse, installée, sûre. Une chaleur comme un fruit mûr. J'aime ce temps. J'aime ce moment de l'été. Ensuite, on verra bien. L'automne, et puis après?

Rien ne vous fait vieillir plus vite que les anniversaires. Les bougies, les embrassades, le gâteau, les fleurs, les sourires. Tu vois, on n'a mis que cinq bougies, on a pensé que ça suffisait, le chiffre des unités on peut s'en passer, personne n'y fait attention.

Voyons, ne fais pas cette tête, aujourd'hui, une date pareille, tu sais bien qu'on ne peut pas te laisser toute seule.

La pente peu à peu s'accentuait. Cette côte n'en finit plus. Mes tendons ne sont plus ce qu'ils étaient. Ni mes poumons.

Hêtres. Un bouleau égaré. Des sapins. Leur feuillage si sombre. Et là, isolé, un sorbier des oiseaux, avec les grappes de ses baies encore oranges. Pas encore mûres. Et des noisetiers.

Elle dut ralentir. Économise-toi, respire. Tu n'as plus la forme de tes grands marathons, Berlin, Athènes, New York, tu te rappelles ? À Berlin, tu t'étais classée deuxième derrière une grande bringue maigrichonne avec des dents de jument, et le lendemain soir tu es allée fêter ta performance dans un dancing du côté de la Schaubühne, tout au bout du Ku'damm. Cette salle en sous-sol, les tentures grenat à passementerie dorée, les boules de verre du tango et ce mélange d'odeurs, cigarettes blondes, eau de violette et poussière montée du plancher de bois, c'était un orchestre américain, le batteur noir s'essuyait le visage avec un mouchoir rouge et je portais cette robe de taffetas qui bruissait à chacun de mes pas, j'avais l'âge où une femme ne craint pas de montrer ses épaules nues. Joseph était là. Il m'a invitée à danser.

Elle ralentit encore. Ses foulées étaient si courtes qu'elle était maintenant proche de la marche. Marcher ? Et quoi encore ? Tu es venue pour courir et tu courras. Secoue-toi ma vieille.

Mes épaules, voilà longtemps que je ne les montre plus. Et si je pouvais cacher mon cou ce serait encore mieux, l'âge d'une femme se lit sur le cou. Tendons, nerfs, plis, rides. La peau impitoyable. Comme les vieilles poules quand on les prépare pour la cuisson. La peau qui pend au-dessus du bréchet. Une peau dure. Le couteau tranche malaisément, il faut crocher dans la peau, tirer jusqu'à ce qu'elle se détache dans un bruit de déchirement. Et tirer aussi sur la longue trachée d'un rose très pâle, elle craque quand on la coupe, on dirait un cartilage qu'on écrase. Puis les lourdes veines violettes. Découvrir le cou nu. La chair maigre sur l'os.

Joseph aimait le cou de poulet grillé, une lubie, il grignotait en grimaçant, je fais l'anthropophage, il riait, il appréciait cela comme une gourmandise, j'avais déniché un boucher qui vendait au détail des cous tout préparés. Débarrassés de leur peau, Dieu merci.

Elle leva les yeux comme elle atteignait la fin du premier raidillon. Chêne rouvre, épicéa, frêne. Qu'est-ce que tu en sais, qu'il s'agit d'un frêne ? Le nom me plaît, ça suffit.

Elle l'aperçut à ce moment-là. Il courait devant elle. Il trottinait, plutôt. S'échauffant sans doute. Ou ralentissant pour varier ses rythmes. Un adepte de l'entraînement fractionné peut-être. Pourtant, à son âge. Quel âge ? À l'allure, je dirais dans les cinquante-soixante. Plus près de soixante. Pas seulement à cause des cheveux qui blanchissent. Mais la façon de courir, le buste trop droit, les genoux pas assez levés, quelque chose comme un manque de liant dans les mouvements, une sécheresse du corps.

Et toi ? Tu t'es vue courir ? Qu'est-ce qu'on dirait de toi si on te suivait ? Vise un peu la grand-mère. Tu dates, on ne dit plus grand-mère, on dit mamie. Vise un peu la mamie.

Et ce type-là, alors ? Un papy ? Tout de même, il y a dans ses gestes une certaine limpidité. Et une économie de mouvements qui ne trompe pas. Ce type a l'habitude de courir.

Elle accéléra dans la descente pour se rapprocher peu à peu de l'homme qui la précédait. Le chemin était à présent moins bien dessiné. Les ornières n'étaient presque plus marquées, et, au milieu, dans l'axe, l'herbe avait poussé, une herbe haute, grasse, de la folle-avoine, du chiendent, des touffes de chélidoine et de plantain.

Elle devait lever plus haut les genoux pour éviter d'être trop mouillée par les herbes, et elle ressentait les chocs à chaque foulée. J'aurais dû mettre un autre soutien-gorge, avec celui-ci je ballotte. Tu aurais dû choisir le bleu marine, il tient bien. Un machin américain, du solide, Joseph avait poussé des cris quand il avait vu que je m'étais acheté ça à Boulder, Colorado, le repère des vieux coureurs de fond américains. Ils s'y entraînent pour le circuit vétéran, le *Masters Long Distance Running*. De belles courses, et bien dotées. J'avais pensé qu'on pourrait s'y installer avec Joseph. Entre 3 000 et 4 000 dollars la première place, on aurait eu de quoi vivre. Pour les grands marathons, comme à Boston, ça monte jusqu'à 10 000. Ils aiment ça, la course, les Américains.

La course, oui, les soutiens-gorge, non. Ce truc que j'avais acheté là-bas. Un machin ample, inusable, cher et laid. Impossible qu'une femme ait dessiné un tel char d'assaut. N'empêche que j'y suis bien et qu'au lieu de ça j'ai enfilé tout à l'heure le petit rose. Qui est joli. Et qui tient mal. Voilà ce que c'est que de te croire encore féminine. Il y a belle lurette que tu ne charmes plus. Tu es à l'âge du confort, ma vieille. Bon anniversaire confortable et merci pour le voyage.

Et si je leur demandais de m'offrir un soutien-gorge pour mon anniversaire ? Leur tête. Tu sais ce qu'elle a demandé comme cadeau pour son anniversaire ? Un Wonderbra. Elle est cinglée.

L'homme devant elle portait des chaussures souples et simples. Des chaussures efficaces. Sans esbroufe et usées de façon convenable. Un habitué, pas un coureur du dimanche.

Il était en short et elle se trouvait maintenant assez près pour distinguer les muscles de ses jambes. Des muscles effilés. Il avait de l'entraînement et ça se voyait. Même de dos, elle pouvait deviner qu'il était mince. Pas comme ces hommes bedonnants avec l'estomac qui déborde au-dessus de la ceinture, je déteste ces poussahs qui promènent leur graisse. Les gens qui se relâchent. J'aime qu'on respecte son corps. La vie n'est pas facile, si en plus on se laisse aller autant abandonner tout de suite.

Elle détailla aussi le maillot qu'il portait. Tissu de bonne tenue, couleur sobre, aucune marque tapageuse. Mais une tache au niveau de l'omoplate droite. Une tache de boue. Pourquoi l'avoir laissée ? Ça part au lavage sans difficulté. Sur mes vêtements de compétition, combien en ai-je ôté, de ces saletés. Et sur ceux de Joseph.

L'homme courait de façon régulière. Il balançait les bras comme il faut quand on veut tenir longtemps sans se fatiguer. Un connaisseur. Elle adopta son rythme et continua de le suivre en silence.

Tu te rappelles les entraînements quand tu préparais une compétition ? Dix kilomètres seule, puis au bout du circuit que tu avais fixé, dix autres kilomètres avec Joseph et ses copains. À la fin du circuit, à nouveau dix kilomètres seule, et pour la dernière boucle tu retrouvais Joseph et ses copains. Qui prenaient plaisir à te faire tirer la langue. Tu ne disais rien.

J'aurais préféré crever que de reconnaître ma fatigue devant eux.

Ce n'étaient pourtant pas ces dix dernières bornes les plus difficiles. C'était entre la vingtième et la trentième. Oui, c'était ça le plus dur à supporter. En début de parcours, quand j'étais seule, je fabriquais mon rythme, ça allait. Ensuite, au deuxième relais, quand je me calais dans la foulée de Joseph, ça allait aussi. Le problème ne vient qu'après. Quand tu te retrouves seule et que le parcours est encore long. Là, oui, c'est dur à vivre.

Elle regardait le dos de l'homme qui courait devant elle, et elle observait la tache. Pourquoi ne pas l'avoir nettoyée ? Sa femme ne s'était donc pas occupée de sa lessive ? Ce n'est pourtant pas grand-chose. Si la tache résiste, frotter au savon de Marseille, laisser sécher au soleil, rincer. Un maillot de marque comme celui-ci, ça se soigne. Comme les chaussures. Il soigne bien ses chaussures, ce type. Alors pourquoi pas son maillot ?

Cette tache l'obsédait. Elle contrôla sa respiration. Ne souffle pas comme un phoque, il va t'entendre. Comme un phoque ? Ou comme une mamie ? Une mamie, comment ça souffle ? Comme un otarie ? Une eau tarie. Elle n'était plus très loin de l'homme. Elle ralentit.

Le chemin avait repris de la pente. Des myrtilles poussaient dans le sous-bois. Elle y jeta un coup d'œil. Trop tôt encore dans la saison pour les manger. Pas encore assez charnues, pas assez violettes. Violettes ou bleues ? Comment lui avaient-ils dit, les Québecois, quand elle avait gagné le marathon du Saguenay-Lac-Saint-Jean, sais-tu bien ce qu'on nomme les bleuets par chez nous, ce sont les airelles. À l'arrivée, elle pensait Dieu sait pourquoi à ces airelles et puis elle avait donné les fleurs à Joseph qui s'était classé si loin dans l'épreuve masculine et s'étonnait de sa contre-performance, je ne comprends pas, je me croyais en forme pourtant.

Trois mois plus tard on apprenait la raison de cette méforme. Trop tard.

Joyeux anniversaire.

Le type devant elle avait repris un peu d'avance dans la montée. Elle haussa le rythme. Son souffle se raccourcit et elle sentit s'accélérer ses battements cardiaques.

À ton âge, quand même. Tu sais que tu nous inquiètes, mamie, quand tu t'en vas courir. Seule dans la forêt. Et puis, forcer comme tu le fais. Les articulations, le cœur. Mamie, tu exagères. Même si tu as l'entraînement de toutes tes années de compétition, qu'est-ce que ça change ? Les artères, le souffle, le débit sanguin. Et si tu tombais ?

Si je tombais, mes petites, je nettoierais mon survête, voilà tout. Comme je l'ai toujours nettoyé.
*Comme je nettoyais ceux de Joseph. Jamais il n'au-
rait supporté, lui, une tache sur ses vêtements. Jusqu'au bout il a été soigneux. Presque maniaque. Dans
sa chambre à l'hôpital il chassait du bout des doigts
les miettes sur le drap, et quand le premier soir la
femme de service a renversé un peu de soupe sur le
plateau, il a dit, ça commence bien et il a ri. Ou il a
essayé de rire. En s'étouffant.

Je lui ai tenu la main jusqu'au bout.

Respire. Compte tes foulées. Inspire à fond, retiens
ta respiration, vide-toi. À fond. Expire.

Elle entendait souffler l'homme devant elle. Un
souffle régulier. Rapide et régulier. Et qui soudain
s'interrompait, tandis que l'homme tendait le bras,
d'un geste bref, et se mettait à parler. Des phrases
courtes, des mots hachés.

Elle était assez proche pour entendre.

– Regarde. L'ouverture. Derrière les sapins. Après
la plaine. Les collines. Le même bleu, tu vois.

Elle tourna la tête dans la direction que l'homme
indiquait sans cesser de courir. Dans une échancrure
de la forêt, on apercevait en effet, là-bas, l'étendue
pâle de la plaine et, tout au bout, la silhouette bleue
des monts qu'on appelle dans la région les montagnes du soir. C'était un bleu très tendre et paisible,

et jamais encore elle n'avait remarqué comme aujourd'hui la délicatesse de cette teinte.

Elle lui laissa reprendre un peu d'avance. Pourquoi parlait-il tout seul ? Et pourquoi faut-il que je tombe sur un dingo quand je viens m'entraîner ? Parce que j'emprunte un parcours connu pour le jogging ? Je déteste ce mot. Jogging, coursing, marching. Ces mots à la mode. Autant ne rien dire. Se méfier des mots.

Joseph, son dernier mot, j'aurais tant voulu l'entendre. Mais l'infirmière, madame je vais vous demander de sortir un instant s'il vous plaît, et comme une imbécile j'ai obéi. J'ai attendu dans le couloir. On ne percevait aucun bruit. Quand je suis rentrée dans la chambre c'était fini.

Ce n'est pas le cœur, a dit le médecin. Il avait un cœur juvénile. Le sport sans doute, n'est-ce pas ? Si ça n'avait été qu'un problème de cœur, il aurait tenu des années. Soyez courageuse.

Et le type là-devant qui tendait cette fois-ci le bras de l'autre côté et recommençait de prononcer des mots hachés tandis qu'il approchait du vieil abreuvoir, regarde la fontaine, tu sais, l'eau si froide, le goût n'a pas changé, tu vas voir.

Il s'arrêta pour boire, se pencha sur l'eau. Elle hésita. Le dépasser comme si elle n'avait rien entendu, ou s'arrêter elle aussi ? Elle s'arrêta.

L'homme se retourna, la dévisagea, sourit. Elle lui rendit son sourire.

Tu as vu ses yeux ? Les yeux d'un homme qui aime rire. Les pattes d'oie, les rides sur les tempes. Un visage fin, presque maigre. Le visage affûté de l'homme en forme, comme on dit dans les journaux. Joseph aimait cette expression, il la ressortait souvent. Même à l'hôpital. Les visiteurs en mentant dès qu'ils entraient dans la chambre au milieu des odeurs d'éther et de désinfectant, dis donc tu as l'air en forme, et lui, amaigri, souriant, j'ai le visage affûté de l'homme en forme. Elle plongea sa main dans la fontaine.

Le froid la surprit. L'eau mordait. Elle enfonça le poignet, l'avant-bras. Une eau de montagne. Glacée. Elle resta penchée au-dessus de l'abreuvoir, se laissa engourdir.

L'homme à côté d'elle s'aspergeait le visage. Il a des yeux d'un marron très clair, presque transparent, comme les vieux paysans de la région. Il n'a pas une tête de paysan. Un intellectuel.

Qu'est-ce qui te prend de le dévisager, que va-t-il penser ? Je ne le dévisage pas, je suis curieuse.

– Vous m'avez entendu parler tout seul ? dit l'homme.

Elle se redressa. Non, elle n'avait rien entendu, pourquoi?

– Rassurez-vous, dit-il. Je n'étais pas tout seul. Enfin, pas vraiment. J'étais avec ma femme.

Il se cala les fesses contre le rebord de l'abreuvoir, face au paysage, puis il tendit le bras.

– Nous venions souvent courir ici. C'était une de nos courses favorites.

– C'était?

– Elle est morte.

Il avait prononcé ces mots sans y mettre d'emphase. Une constatation. Quelque chose de simple. Une vérité sur laquelle il n'y avait pas besoin de s'étendre.

– Pardonnez-moi d'être indiscrète. Il y a longtemps?

– Un an et demi, deux ans.

Il contemplait toujours le paysage. La forêt où les feuillus mettaient des taches claires parmi les résineux, les pentes qui dévalaient vers la plaine, les champs dessinés, les villages, les routes minuscules, puis, tout au bout, les montagnes du soir. Un rapace fit entendre quelque part son cri aigu.

– C'est idiot, mais quand je cours dans les endroits que nous aimions, je lui parle. Comme si elle était là. Je lui montre ce que j'aime. Ce qu'elle aimait. Des perspectives, un mur de ferme, une ouverture. Cette source. Vous devez me prendre pour un fou.

Elle sourit. Un fou? Pourquoi donc? Au contraire,

c'était elle qui était folle. Folle de ne pas avoir pensé à faire de même après la mort de son mari.

– Ah bon ? Votre mari ? À mon tour d'être indiscret mais, il y a longtemps ?

– Quatre ans. Exactement quatre ans aujourd'hui. Le jour de mon anniversaire. Il est mort le jour de mon anniversaire. Une drôle d'idée, n'est-ce pas ?

– Je ne sais pas si « drôle » est le mot adéquat.

Ils se turent. L'air était toujours aussi chaud. Une brume de chaleur traînait sur la plaine, faisait danser les lignes d'arbres qui bordaient les champs, et, dans leur dos, l'eau était fraîche.

Elle baissa la tête. La main de l'homme était posée sur le rebord de l'abreuvoir. Il portait deux alliances à l'annulaire.

À quoi penses-tu quand tu regardes ses mains ? Ne regarde pas ses mains. Ses doigts fins. Je ne regarde pas ses doigts, je pense. Ne pense pas à ses yeux. Je ne pense pas à ses yeux. Ne pense pas à cette tendresse qu'il a pour sa femme. Je ne pense pas à sa tendresse. Je ne pense pas du tout à la moindre tendresse.

Mon œil.

– On devrait repartir avant de se refroidir, dit l'homme. Vous courez jusqu'en haut ?

Il désignait le chemin étroit qui montait à travers l'herbe rase du pré, et filait en diagonale vers le sommet pelé, doux et arrondi.

– J'ai une tête à ne pas aller au bout ? dit-elle.

Ils démarrèrent ensemble. Ils couraient à présent sur une lande à bruyère, et le sol sous leurs pas était élastique et confortable. C'était un bon endroit pour courir.

– Un peu plus haut, dit l'homme, on trouve de l'arnica. Presque au sommet.

Elle ne répondit pas. L'air devenait enfin léger et elle respirait bien. Elle avait la sensation de pouvoir courir encore longtemps.

– Savez-vous que du sommet on aperçoit trente-cinq clochers ? dit-il encore.

– Trente-sept, dit-elle. Je les ai comptés.

Ils arrivèrent ensemble à la croix de bois qui marquait le point le plus haut, s'arrêtèrent, contemplèrent debout le paysage. Le ciel rosissait et les montagnes du soir paraissaient encore plus bleues que tout à l'heure. Tout était lent, silencieux et limpide.

– Trente-sept, dit-elle à nouveau.

Il sourit, hocha la tête pour approuver. Ils restèrent sans parler pendant un long moment, puis, sans prévenir, il s'éloigna. Elle l'observa. Il avait une démarche légère. Et cette tache dans le dos, sur l'omoplate.

Il se pencha en avant, fourragea dans l'herbe, revint sans se presser, tendit les fleurs qu'il venait de cueillir. Arnica et pâquerettes.

– Si j'ai bien compris, c'est aujourd'hui votre anniversaire ?

Elle sentit les larmes monter. Non, pas de larmes. Elle avala sa salive, se mordit l'intérieur des joues. Sourit sans dévoiler ses dents. Je déteste le bridge que ce crétin de dentiste m'a posé, mon sourire n'est plus à moi. Elle prit les fleurs.

– Merci, vous tombez bien. Vous savez, personne n'avait pensé à mon anniversaire.

Il avait mis les mains dans son dos, et il penchait la tête de côté en la contemplant.

– Personne ? Si vous voulez, enfin, ne le prenez pas en mal, mais je connais un petit restaurant, un endroit sympathique, si vous vouliez, comme ça, simplement en passant, juste pour marquer le coup.

Il s'embrouillait dans sa phrase, hésitait, souriait d'un sourire d'adolescent timide.

Elle n'hésita même pas avant d'accepter, et quand elle s'en étonna, plus tard, tandis qu'ils couraient tous deux dans la descente, sans hâte, en direction de l'ombre qui peu à peu montait dans la vallée, elle se contenta de serrer les doigts sur la petite poignée de fleurs des champs.

Le petit génie de l'Est

D'abord tu ne les as pas remarqués. Ni l'un ni l'autre. Des supporteurs, tu en vois tous les jours autour du terrain, derrière le grillage, pendant que tu diriges l'entraînement de l'équipe première. Pourquoi aurais-tu noté la présence de ceux-là en particulier?

Leur allure, peut-être. Elle aurait pu t'intriguer. Quelque chose de grisâtre dans leur vêtement. Dans leur attitude aussi : quelque chose de fripé. Des vêtements trop courts, trop minces, de mauvaise qualité. Et cette gaucherie dans le maintien. Ils se tenaient tous deux comme s'ils cherchaient à occuper le moins de place possible. Des hommes mal dans leur peau et chiffonnés. Le père et le fils.

Ils ne t'intéressaient pas. Tu t'occupais de tes joueurs et tu entendais t'y consacrer avec autant de sérieux que d'habitude. Le championnat était entré depuis un moment dans son dernier quart et l'équipe n'était ni bien ni mal classée. Trop de points pour craindre la descente en deuxième division, pas assez pour espérer une qualification européenne. Une période tranquille, un travail calme. On pouvait lâcher un peu de pression. Pas trop. Tu n'as jamais eu la réputation d'un entraîneur favorable au laisser-aller. Travail, rigueur, application. Tu n'étais pas prêt à renoncer à tes principes, même pour des exercices plus détendus qu'au début du championnat.

Tu as été surpris quand l'homme t'a interpellé.

– Monsieur, s'il vous plaît.

C'était le plus âgé des deux. Celui que tu allais bientôt appeler « le type en gris », sans t'étonner que tout le monde sache de qui tu parlais.

– Monsieur, s'il vous plaît.

Il insistait. Tu as secoué la main dans sa direction, sans même lui accorder un regard franc : pas le temps. Les joueurs réclamaient ton attention. Une mise au point de l'axe défensif. Le jeune arrière que tu voulais titulariser samedi, pour lui donner l'expérience des matchs pros, comprenait mal comment coulisser avec ses partenaires. Tu as décidé d'une séance attaque-défense pour régler quelques automatismes.

– S'il vous plaît, s'il vous plaît.

L'homme en gris insistait. Il avait une voix de quémandeur. Un peu molle, obséquieuse. Avec un accent qui l'empêchait de prononcer clairement les i. Tu t'es tourné vers lui.

– Tout à l'heure, vous voyez bien que je suis occupé.

Ensuite, tu l'as oublié. Les défenseurs combinaient de mieux en mieux, et la vivacité des avants t'a satisfait. Ce n'était vraiment pas une matinée à se faire du souci.

– Bon les gars, ça suffit pour aujourd'hui, n'oubliez de rendre les chasubles avant de rentrer aux vestiaires. Et ne partez pas tout de suite j'ai deux mots à vous dire à propos du match de samedi. Jacky, Lionel, vous ramassez les ballons.

Derrière le grillage, les supporteurs s'égaillaient. Seuls quelques acharnés étaient restés pour discuter avec des joueurs et déjà ils s'éloignaient en les accompagnant jusqu'aux vestiaires.

– S'il vous plaît, je cherche demander vous.

Les deux hommes étaient toujours là. Ils t'attendaient. C'était le plus vieux qui parlait. Tu as soupiré.

– Quoi encore ? Qu'est-ce que vous voulez ?

– Essayez le jeune homme. Dans penaltys par exemple. Il surprendra, vous verrez. S'il vous plaît.

Tu as secoué la tête. Les jeunes joueurs qui rêvent de profiter des entraînements pour tirer des penaltys au gardien de ton équipe, tu ne les comptes plus.

– Pas question. Qu'il s'amuse avec ses copains. Ou dans son équipe. Il a une licence, au moins ?

Tu t'adressais au plus âgé, qui parlait du jeune homme à la troisième personne sans le regarder, et tu te sentais obligé, sans savoir pourquoi, d'agir comme lui et d'évoquer son fils comme s'il n'était pas là.

Qu'est-ce qui te poussait à croire qu'il s'agissait de son fils ?

– Pas licence. Essayez lui pour tirer penaltys. S'il vous plaît.

– Qu'il s'inscrive dans un club, on verra après.

Tu as accéléré pour rejoindre les vestiaires et tu n'étais pas mécontent de quitter ce type. Sa façon d'insister te déplaisait. Et son ton geignard. Cette manière de pencher la tête en suppliant. S'il vous plaît. Qu'il aille au diable.

Le lendemain matin, il était là dès le début de l'entraînement. Tu l'as vite repéré. Le type en gris. C'est la première fois que tu as employé l'expression. Tu t'es tourné vers Vital, le préparateur physique.

– Le type en gris, tu connais ?

– Celui qui est avec le petit maigrelet ? Jamais vu.

Tu n'as même pas été surpris que Vital comprenne tout de suite de qui tu voulais parler quand tu as dit « le type en gris ».

La séance s'est déroulée sans problème. Les garçons accrochaient bien, ils montraient de l'enthousiasme même dans les exercices arides, ils plaisantaient entre eux, et, pour terminer l'entraînement dans la détente, tu as organisé un match des titulaires contre les réservistes. Comme toujours, tu as été surpris de constater combien ces professionnels si bien payés prenaient plaisir à jouer, simplement à jouer, comme des mômes.

– Monsieur, s'il vous plaît.

Cette fois-ci, il avait un sac en plastique à la main. Un sac publicitaire, qui ne paraissait pas peser lourd. Et toujours cet air de supplier, cette patience un peu plaintive. Le jeune homme à côté de lui ne disait toujours rien.

– Laissez lui tirer penaltys, vous verrez.

– Foutez-moi la paix, vous voulez bien ?

Quand l'entraînement s'est achevé, tu es parti par-derrière les tribunes pour éviter de te retrouver devant les deux hommes.

Et pareil le jour suivant.

– S'il vous plaît, essayez jeune homme.

Tu avais d'autres souci en tête. L'équipe jouait le lendemain soir et tu voulais vérifier les derniers réglages. Pas question de relâchement. Discipline, professionnalisme. Tu t'es installé de l'autre côté de la pelouse pour avoir la paix. Tu t'es absorbé dans ton travail. Tout se passait bien.

Tu n'es revenu au stade que deux jours plus tard, pour la séance de décrassage. L'équipe avait gagné à l'extérieur et tout le monde était de bonne humeur.

Une victoire, pas de blessé, trois points de plus, que demander d'autre ? La mécanique tournait rond. Tu t'es contenté de regarder Vital diriger quelques exercices de décontraction, et tu as quitté le terrain. Tu avais l'intention de discuter un moment avec les kinés pour connaître l'état physique de l'équipe. Un grand beau temps s'était installé, il faisait presque chaud, tu te sentais bien.

– Monsieur, s'il vous plaît.

Il tenait encore à la main son sac de plastique. Tu l'as observé de plus près. Un veston de Tergal, une chemise au col sali, en nylon, trop longtemps portée. Un pantalon sans pli. Et ces cheveux trop longs. Même sa peau paraissait grisâtre. Le jeune homme, derrière lui, ne disait toujours pas un mot. Un gamin. Combien ? dix-huit ans tout au plus, et encore. Une figure de chien battu. Et ce survêtement en matière synthétique, mince et luisant. Avec des fermetures à glissière, au bas du pantalon, qui semblaient toutes deux cassées.

Tu t'es rendu compte qu'ils portaient les mêmes vêtements depuis le premier jour. Tu avais enregistré ce détail alors que tu étais pourtant certain d'avoir toujours refusé de les regarder.

C'est cet air de chien battu qui t'a décidé.

Tu as fixé le gamin dans les yeux.

– Tu as quel âge ?

– Dix-huit, a dit le type en gris.

– Ne vous en mêlez pas, c'est à lui que je parle. Quel âge ?

Le gamin a haussé les épaules, levé les mains à la hauteur de sa taille, paumes en l'air. Il ne comprenait pas.

Cet air de malheur et de résignation. Ces yeux tristes. Cette maigreur.

– Viens avec moi, tu vas les tirer, tes penaltys.

Le type en gris s'est interposé.

– S'il vous plaît. Il a chaussures pour foot. Attendez. S'il vous plaît.

Elles étaient dans le sac publicitaire : de vieilles Adidas à crampons vissés. Tu t'es penché pour mieux voir. On ne fabrique plus de tels modèles depuis longtemps. Tu as saisi une chaussure, tu as jeté un coup d'œil. Des coutures avaient craqué ici et là, et les crampons étaient si usés qu'ils ressemblaient à des chicots. Tu as rendu la chaussure et tu as attendu qu'il les enfile et les lace.

– Suis-moi.

Tu voulais appeler le gardien remplaçant, tu ne l'as pas trouvé. Les kinés l'avaient emmené pour des soins. Tu es allé chercher Fred. Le titulaire. Vingt-neuf ans, un bel âge pour un gardien. De l'expérience et encore du jus. On avançait même son nom pour une possible convocation en équipe de France. Un joueur solide. Un des meilleurs à son poste.

Tu lui as glissé à mi-voix ce que tu attendais de lui.

– Ce gamin me serine pour te tirer des penaltys, voilà presque une semaine qu'il me tarabuste, j'accepte uniquement pour avoir la paix.

– Le petit qui est avec le type en gris ?

Lui aussi. À croire qu'on ne pouvait pas nommer autrement l'homme qui, là-bas, s'était accroché au grillage et surveillait tous tes gestes.

– Laisse le gamin marquer une fois et bloque les autres tirs. Décourage-le, tu vois ce que je veux dire.

Fred a pris place dans les buts. Il a joué l'intimidation comme dans un véritable match. Les gants qu'on met du temps à enfiler, la ligne qu'on trace du bout des crampons juste dans l'axe des buts, la pose qu'on tient en sautillant sur place, le balancement du buste, le large écartement des bras, les faux gestes nerveux. Le gamin avait déjà placé le ballon sur le point de penalty. Il attendait. Tu as levé la main.

– Cinq tirs, pas plus, d'accord ?

Au moment où tu prononçais ces mots, tu t'es reproché d'avoir cédé. Ils seraient des dizaines, maintenant, à te supplier eux aussi d'entrer sur le terrain pour tirer des penaltys. Tu n'aurais jamais dû accepter. Eh bien, que Fred ne laisse rien passer. Ce serait même un bon exemple pour tout le monde. Tu as crié à ton gardien de bloquer les tirs. Sans en excepter un seul. Puis tu as fait signe au gamin.

Il n'a pas pris beaucoup d'élan. Il a frappé la balle de l'intérieur du pied droit. Un tir simple et classique.

Le ballon s'est fiché dans la lucarne gauche de Fred.

Un tir sans bavure. Net, clair, pur. Dans la lucarne.

Ensuite, ça a été de l'extérieur du pied droit, et pour la même lucarne, au même endroit, exactement.

Puis la lucarne de l'autre côté. Puis, du gauche, à ras de terre, en prenant Fred à contre-pied. Puis, de nouveau du droit, au ras du poteau, en prenant encore Fred à contre-pied.

Tu as dévisagé le gamin. Il ne souriait pas. Il n'avait pas eu un sourire pendant ses cinq tirs réussis. Il te regardait avec l'air d'attendre la suite. Et toujours cette timidité des humbles sur le visage.

Tu as désigné le point de penalty.

– Cinq autres.

Il les a marqués tous les cinq. Il plaçait la balle exactement où il voulait, en donnant l'impression d'agir comme si rien n'était plus simple. Sans embarras. Sans prétention.

Fred a récupéré le dernier ballon au fond de ses cages. Il a dégagé loin et fort. Avec rage. Tu le connaissais assez pour savoir ce qui se passait en lui. Tu devais réfléchir vite. Quelques joueurs s'étaient approchés et avaient observé les derniers tirs. Tu les as hélés.

– Mettez-moi les mannequins à vingt mètres, en diagonale.

Ils ont installé les mannequins dont vous vous servez pour figurer le mur des défenseurs adverses quand vous travaillez la technique des coups francs. C'est un obstacle suffisant pour obliger le tireur à un exploit. Qu'il choisisse un tir en finesse ou en force, il est condamné à doser sa frappe au centimètre près.

Les joueurs ont compris ce que tu demandais sans que tu aies besoin de t'expliquer. Ils ont placé le mur des mannequins à droite des buts, en biais, et à plus de vingt mètres des cages. Il ne te restait plus qu'à poser toi-même le ballon à neuf pas du mur. Tu en as profité pour examiner l'angle de tir et tu as été satisfait de ce que tu voyais. Tu as même adressé un clin d'œil à Fred. Tu étais tranquille.

Le gamin n'a pas pris beaucoup plus de recul qu'au moment de tirer les penaltys. Il a frappé de l'extérieur du pied droit. La balle s'est élevée, elle est passée au-dessus du mur en suivant une courbe très pure et elle est allée se planter au ras du premier poteau.

Tu as fait signe de tenter un autre tir. D'autres joueurs s'étaient à leur tour approchés. Ils avaient des ballons avec eux, ils en ont passé un au gamin. Puis un autre, puis un autre, au fur et à mesure qu'il tirait ses coups francs. Et les réussissait.

Il n'eut qu'un raté : une balle sur la barre transversale. Tout le reste, dedans. Fred parfois frôlait le ballon du bout des gants mais c'était tout. Il ne parvenait pas à bloquer ces tirs travaillés qui lui arrivaient selon des trajectoires inattendues, avec des balles vrillées et fuyantes.

Tu as deux ou trois fois demandé qu'on change le mur de place. Tu voulais voir comment le gamin se sortirait de situations nouvelles. Tu as vu.

Vital s'est approché de toi.

– Dis donc, ce petit, il a des pieds magiques.

Tu n'avais pas l'intention de t'avouer vaincu. Tu as hoché le menton.

– Des pieds magiques, et puis quoi encore ? Il n'a aucune opposition devant lui. Tu veux que je te dise ? Ce môme a passé des millions d'heures en jouant tout seul à la balle au mur, il est imbattable dans ce domaine, mais en match, dans un jeu en mouvement, je suis sûr qu'il disparaîtrait de la circulation.

– Pas si sûr que toi.

– Tu paries que j'ai raison ?

– Convoque-le demain. Tu le mets dans un petit match avec les réserves et les gars de CFA 2, tu verras bien.

Ce n'était pas une mauvaise idée. Tu as marché jusqu'au grillage. Le type en gris t'attendait. Lui non plus ne souriait pas. À peine si on pouvait deviner dans son regard une lueur qui n'y était peut-être pas tout à l'heure.

– Vous pouvez revenir demain matin ? Vers neuf heures ? Et qu'il soit en tenue, si possible.

Tu désignais le gamin d'un coup de pouce par-dessus ton épaule, sans te retourner. Le type en gris avait toujours cette allure un peu servile et tu as presque cru qu'il allait effectuer une courbette devant toi.

– Merci monsieur, grand merci.

– Ne me remerciez pas. S'il n'a pas de tenue, on lui en prêtera une.

– Il a étonné vous, non ? Il est fort, non ?

Tu n'as pas répondu. Tu t'es éloigné, et, en revenant vers tes joueurs, tu as croisé le gamin. Il tenait ses chaussures à la main. Il marchait pieds nus. Il t'a salué d'un coup de tête et tu lui as posé la main sur l'épaule, au passage, brièvement.

Le lendemain matin, il était au rendez-vous. Cette fois-ci, c'était lui qui portait le sac de plastique contenant les chaussures. Il avait le même survêtement que les autres jours, mais le type en gris, lui, avait changé de chemise. Celle-ci était blanche et tu as pensé aux hommes du quartier ouvrier où tu avais grandi et qui enfilaient eux aussi, pour les cérémonies, une chemise blanche qui ne leur allait pas et dans laquelle ils paraissaient mal à l'aise.

Tu as envoyé un stagiaire chercher un maillot et un short dans les vestiaires. Et des bas et des chaussures. Non, pas des chaussures. Rien que la tenue, dépêche-toi. Pendant que tu attendais son retour, le type en gris s'adressait au gamin dans sa langue. Tu entendais des sons qui ne t'étaient pas familiers, des roulades gutturales, des consonnes qui claquaient, un grand nombre de a et de ou, et tu as pensé à une langue d'Europe de l'Est. Le type en gris semblait donner des conseils. Tu t'apprêtais à demander de quel pays ils étaient quand le stagiaire est revenu avec l'équipement.

Le gamin s'est changé sur le bord de la touche. Il hésitait à se dévêtir. Tu as détourné les yeux. Pas assez pour ne pas remarquer le slip à taille haute, qui bâillait à la fourche des cuisses. Et les côtes qui saillaient sur le torse grêle et pâle.

Quand il a été en tenue, il semblait déguisé. Le short trop long, le maillot trop large, les bas qu'il avait été obligé de rouler sur ses chevilles pour ne pas les perdre, tout paraissait trop neuf, trop propre.

A part les chaussures. Il avait toujours les vieilles Adidas. Celles qui lui avaient permis de réussir hier ses tirs étonnants. Elles seules paraissaient convenir au gamin maigre et taciturne qui attendait que tu lui dises de franchir la porte du grillage pour pénétrer sur le terrain d'entraînement.

Tu l'as accompagné. Vous avez rejoint les autres joueurs. L'entraîneur des amateurs expliquait les exercices d'échauffement qu'il voulait leur voir effectuer avant de débuter le match. Tu as présenté le gamin sans insister et tu t'es éloigné.

Ils se sont échauffés pendant presque une heure. Le gamin suivait de loin. Il n'avait pas l'habitude de tels exercices. Tu l'as vu suer très tôt. Des plaques rouges lui étaient venues, aux joues, et cela ne l'empêchait pas d'être toujours aussi pâle. C'était comme s'il avait eu le visage marbré, avec des taches qui saignaient sur la peau. Il haletait.

Tu as laissé faire. Comment agir autrement ? Il fallait bien mesurer ses capacités. Et puis, il serait toujours temps d'intervenir si le match devenait trop difficile pour lui.

L'entraîneur des amateurs a réuni les joueurs au milieu du terrain. Ils riaient, se bousculaient, lançaient des blagues. Des jeunes gens en pleine forme, musclés, bronzés, et prêts à démontrer leur valeur sur deux mi-temps d'une demi-heure.

Le gamin se tenait en arrière. Il était courbé, les mains sur les genoux, la bouche ouverte, cherchant son souffle. Ses cheveux mouillés par la transpiration s'étaient collés par mèches et jamais il n'avait paru aussi chétif et désarmé. Un enfant des rues.

– Et lui, je le mets où ?

L'entraîneur t'interpellait, de loin. Il désignait le gamin. Tu as levé les deux mains pour indiquer un numéro, les doigts écartés. Le dix. Le numéro des meneurs de jeu. Ceux qui dirigent. Ceux qui orchestrent toute l'équipe.

Et le match a commencé. Tu l'as suivi à côté de Vital. Au bout de quelques minutes, tu t'es aperçu que Fred était venu vous rejoindre. Lui aussi voulait voir jouer le petit phénomène qui l'avait ridiculisé la veille.

Pendant près d'une demi-heure, vous n'avez pas vu grand-chose. Ses équipiers d'un jour ignoraient le gamin. Il tentait des démarrages, appelait la balle, ne la recevait pas, courait dans le vide, reprenait son poste au milieu du terrain, attendait des passes qui ne venaient jamais.

Il avait bien essayé de conquérir le ballon dans les pieds des adversaires, mais il ne faisait pas le poids devant ces athlètes entraînés qui l'écartaient d'un coup d'épaule ou le grillaient sur un démarrage qu'il était incapable de suivre.

Ce fut vers la fin de la première mi-temps qu'il parvint enfin à récupérer une balle sur un dégagement hasardeux. Il contrôla de la poitrine, leva la tête pour observer la situation sur le terrain. Aucun partenaire bien placé. Il avança. Un arrière vint à sa rencontre. Il le mit dans le vent d'une feinte de corps, poursuivit sa course, attira un autre adversaire, mima un démarrage à gauche, se redressa, ouvrit soudainement le jeu vers la droite, d'une longue diagonale qui trouva un de ses avants. Quelqu'un applaudit.

Tu as dévisagé Vital. Il a eu la moue que tu attendais. Il restait silencieux mais tu savais quel aurait été son commentaire s'il avait parlé.

– Putain, a dit Fred.

C'était ce que Vital aurait dit et il n'y avait rien à ajouter.

La seconde mi-temps n'a pas ressemblé à la première. Le gamin avait gagné sa place et ses coéquipiers se mettaient à jouer avec lui. Il n'appelait la balle, en levant le bras, que lorsqu'il pouvait la réclamer dans de bonnes conditions, et, une fois qu'il l'avait, il éclaircissait le jeu d'un seul coup. C'étaient des déviations, des ouvertures, des transversales, des remises d'une précision étonnante, et jamais il ne se permettrait le geste superflu des joueurs qui veulent briller. Il jouait juste, simple, calme. Il jouait vrai.

– Incroyable, a dit Vital en le voyant lancer une attaque dans l'angle mort de la défense adverse.

Fred a sifflé entre ses dents.

Tu as sifflé toi aussi, et tu as éprouvé le besoin de t'expliquer.

– Un garçon qui voit le jeu avec autant de clarté, à son âge, je ne croyais pas que ça existait.

Il fabriquait de l'espace autour du ballon et tout le jeu prenait de la vitesse quand il dirigeait les attaques.

Et puis, plus tard, il a récupéré une balle à une trentaine de mètres des buts. Il a évité un adversaire, deux adversaires, a filé jusqu'à la ligne de sortie, a expédié un centre en retrait, et son avant-centre n'a eu qu'à pousser la balle dans les buts. Cinq minutes après, il a botté un coup franc direct des vingt mètres, en angle, et il a placé le ballon exactement où il l'a voulu : là où le gardien ne l'attendait pas.

L'entraîneur des amateurs, qui avait jusqu'ici joué le rôle d'arbitre, est venu vous rejoindre sur la ligne de touche.

– C'est qui, ce petit génie que tu nous as dégoté ?

– Un petit génie de l'Est.

– Tu le sors d'où ? Jamais vu un diamant pareil.

Tu as souri en coin, sans répondre. Là-bas, sur le terrain, le gamin commençait à payer ses efforts. La fatigue se faisait sentir. Ses gestes étaient moins vifs, moins justes. Peu importait, tu en avais assez vu. Tu l'as montré du doigt.

– Remplace-le maintenant, ce n'est pas la peine de l'épuiser.

Il manquait de résistance. Pas assez de muscles, pas assez de souffle. Il aurait besoin de beaucoup travailler. Mais vous saviez comment vous y prendre pour transformer un gosse en athlète.

Quand il a quitté le terrain, quelques-uns de ses coéquipiers ont levé la main pour le saluer. Et des supporteurs, qui suivaient le match derrière le grillage, ont applaudi.

Tu as rejoint le gamin. Le type en gris lui tendait une serviette de toilette qu'il avait tirée du sac en plastique. Une serviette nid d'abeilles, de petit format. Tu as eu envie de rire en regardant le gamin ôter son maillot pour essuyer la sueur. Jamais tu n'avais observé un joueur aussi maigre à cet âge, et jamais non plus tu n'avais vu jouer un adolescent avec autant de talent. Tu as tendu le bras en direction des vestiaires.

— On a des douches, vous savez. Il devrait aller en prendre une, il l'a bien méritée.

Encore une fois, tu t'adressais au type en gris et tu t'en voulais de ne pas parler directement au gamin.

— Pas besoin, a dit le type en gris. Douche, nous avons à la maison.

Puis il s'est penché vers le gamin pour lui dire quelque chose dans leur langue, et celui-ci a commencé à se changer, là, sur le bord du terrain, et tu as su qu'ils allaient s'en aller tous les deux.

— Il faut qu'on discute avant que vous partiez. J'aimerais bien que votre fils vienne jouer dans notre club.

Tu parlais toujours au type en gris.

— Pas fils. Garçon Piotr, pas fils.

— Excusez-moi, je m'étais imaginé que vous étiez son père. Mais puisque vous connaissez Piotr, on peut discuter tous les deux, non ?

— Tout de suite ?

— Il faut que j'en parle d'abord avec mes dirigeants.

Je tiens à ce qu'on vous fasse une proposition sérieuse. Mais je ne vous cacherai pas que, pour ma part, je suis favorable à un recrutement. Le plus tôt sera le mieux.

Piotr s'était rhabillé. Il avait repris son survêtement de nylon et il te tendait le maillot, le short, les bas. Il ne souriait pas, mais il te regardait droit dans les yeux et il y avait maintenant dans son attitude quelque chose de plein, de solide et de serein.

– Alors je préfère vous discuter d'abord avec dirigeants. Pour propositions, vous comprenez?

– Comme vous voulez. N'oubliez pas que je tiens à engager Piotr et que je parlerai dans ce sens auprès des responsables du club. Quand peut-on en discuter?

– Demain?

– Pas possible. Ni demain ni après-demain, je dois participer à une réunion d'entraîneurs à la Fédération. Disons, jeudi? D'accord?

– D'accord jeudi, dit le type en gris. Jeudi matin ici? D'accord?

Vous vous êtes serré la main. Et tu as tendu la main à Piotr. Tu lui as souri. Tu étais content de lui sourire.

– Bravo, Piotr. On va bien travailler tous les deux, hein, toi et moi?

– Merci, a dit Piotr.

C'était la première fois que tu entendais sa voix. Une voix grave, sourde, un peu enrouée. La voix de quelqu'un qui ne parle pas souvent.

Tu les a regardés s'éloigner. Le type en gris avait repris le sac de plastique qui contenait les chaussures et il parlait à Piotr en faisant des gestes.

Le soir même, tu partais pour ta réunion à Paris. Tu y es resté deux jours. Le mercredi soir, quand tu es rentré chez toi, tu as pensé à la rencontre du lendemain avec Piotr et le type en gris. Tu avais prévenu la direction du club et le président t'avait promis d'être là.

Tu as rêvé à cette rencontre en buvant un café noir, comme tous les soirs, avant d'aller te coucher. Tu as allumé la télévision et tu as suivi les émissions en pensant à autre chose. C'était l'heure des informations. Encore des guerres, encore des massacres.

Un homme est apparu en gros plan sur l'écran. Il était en uniforme. Sans doute le président d'un quelconque parti, là-bas, du côté des Balkans. Si près. Si loin. Tu as eu l'impression, en entendant ses premiers mots, qu'il avait un accent semblable à celui du type en gris. Puis un traducteur a parlé par-dessus sa voix et tu n'as pas pu savoir si ton impression était juste.

Il appelait les gens de son peuple à rejoindre leur pays. Un génocide, disait-il, les menaçait. Il demandait de l'aide. Tout de suite. Que tous rejoignent leur patrie sans délai, par n'importe quel moyen.

Tu as éteint la télévision, tu es allé te coucher. Tu as bien dormi.

Tu n'as plus jamais revu Piotr et le type en gris.

Le football en sept leçons plus une

C'est en jouant au foot que j'ai su pour la première fois combien je mesurais. Jusqu'alors, j'étais de taille à tenir ma place sur un terrain et je n'avais pas besoin d'en savoir plus.

Il a fallu qu'un jour, en colonie de vacances, quelqu'un prenne une photo de l'équipe. Nous avions posé comme les professionnels : les avants accroupis, avec la balle entre les genoux de l'avant-centre, et, derrière, debout, les arrières, le goal, les milieux de terrain.

Je jouais au milieu. A l'époque, on disait « demi ». Sur la photo, j'avais, en effet, un air de demi-portion : une tête de moins que les autres.

Les enfants et les adolescents brocardent volontiers ces différences d'altitude. Ils ignorent l'indulgence. Ils ne plaisantent pas avec le rire. J'ai eu droit aux surnoms qu'on imagine.

Pour le match suivant, un orage avait détrempé le terrain. On sait qu'une pelouse grasse favorise les joueurs qui ont un centre de gravité placé bas : les contrepieds des bas-du-cul sont mortels, et voir les grands gabarits s'affaler dans la boue est un spectacle qui a son charme.

Je ne m'en suis pas privé.

Il ne faut pas confondre joueur petit et petit joueur.

C'est par le foot que j'ai appris ce que pouvait la finesse contre la force. Tout est affaire d'exactitude dans le geste et de précision dans le déséquilibre. Il faut dévier, surprendre, contourner.

Le fin du fin, c'est la feinte.

La plus belle des feintes, c'est la feinte de corps : d'une simple esquisse de mouvement vous leurrez l'adversaire, il s'égare, démarre quand vous demeurez immobile, chute quand vous démarrez.

Tout l'art consiste à n'être pas là où l'adversaire vous attend.

L'essentiel est toujours ailleurs.

C'est en jouant au foot que j'ai commencé à comprendre ce que peut être le bonheur. La peur aussi. Et la désillusion.

Le bonheur, c'est de sentir les crampons qui s'enfoncent dans l'herbe après avoir piétiné sur le ciment des vestiaires. Le bonheur, c'est de réussir un dribble clair. Le bonheur, c'est de marquer un but. Ou de délivrer la passe décisive, celle qui va permettre à un coéquipier de marquer. Le bonheur, c'est d'avoir le sentiment de jouer juste, et exact, et souple, et d'être là tout entier, dans un geste juste et exact et souple.

La peur, c'est de tirer un penalty. Chaque spectateur le réussirait. Rien n'est plus facile à tirer qu'un penalty. Sauf quand on est dans le match, et que le sort de la partie dépend de votre geste.

La peur, c'est de vous trouver en-dessous de ce que vous attendez de vous-même.

La désillusion apparaît à l'instant où vous vous décevez.

Sauf à quitter le terrain, il faut pourtant jouer. Malgré tout.

On joue toujours malgré tout. Jusqu'à parvenir, enfin, à se reprendre en mains.

« Se reprendre en mains » est une expression belle et riche.

Le foot m'a enseigné la valeur de certaines expressions.

Jouer au foot m'a appris des formules comme « se serrer les coudes », « faire front », « avoir du cœur au ventre ».

Également « intelligence de jeu » (on gagnerait à bien écouter cette formule).

Et aussi « réaliser une ouverture », « offrir un caviar », « effectuer une remise », « rendre la balle », « jouer sans ballon » (seuls les vrais techniciens savent la beauté du « jeu sans ballon »).

Peut-être surtout : « jouer en une-deux ». J'apprécie particulièrement les une-deux.

Comprendre de tels mots, c'est savoir que le foot est un jeu qui consiste à fabriquer de l'espace avec des trajectoires et avec de l'amitié. Rigoureuses, les trajectoires, chaleureuse, l'amitié.

Aujourd'hui, je ne joue plus. Trop vieux. Je suis devenu spectateur. J'aime être un spectateur amoureux.

Quelquefois cependant je suis surpris par ce que je vois. Dans certains matchs, je ne retrouve pas le foot que j'aime. Je ne m'y reconnais plus ; je ne me reconnais pas.

J'entends des phrases guerrières, des vociférations, des appels au combat, des hurlements. Je vois des spectateurs qui tournent le dos au terrain et se livrent à des simagrées pour attirer l'œil des caméras de la télévision. J'apprends que le mot « tricherie » se prononce « réalisme ». J'observe des équipes qui jouent pour ne pas perdre. Ou pour gagner de l'argent, ce qui, paraît-il, revient au même. Je ne comprends plus très bien.

Il est vrai que je ne suis pas bien malin : je me perds dans tous les millions dont on parle. Ils ont trop de zéros pour moi, ces millions.

Je suis perdu. Je croyais à la générosité, et à d'autres fariboles comme la belle ouvrage.

Je ne sais pas si c'est un défaut.

C'est au foot que j'ai compris que chaque homme a un poids. Je parle du poids moral.

Il existe des individus qui ne pèsent pas bien lourd.

J'en ai rencontré quelques-uns. Certains d'entre eux exhibent avant le match une musculature qui impressionne, et tiennent des propos qui en imposent. Et puis, dès les premières minutes, on prend leur mesure. On sait vite ce qu'ils valent, le jeu les remet à leur place, le mensonge ne dure pas longtemps.

D'autres se livrent à des rodomontades sur le terrain. Ce sont en général des tripoteurs de balle. Ils s'évertuent à des gestes brillants : on dirait qu'ils veulent astiquer leur petite personne. La simplicité leur semble interdite. Ça va bien un temps. Ce temps n'est jamais très long. Ils se montrent mauvais coucheurs dès que la situation leur devient néfaste. Ils s'aigrissent, ils empoisonnent l'atmosphère. Quand on les a connus une fois, on les reconnaît, et on les évite.

Il y a aussi ceux qui jouent « perso ». Et ceux qui ont l'esprit lent et la semelle lourde. Et ceux qui rêvent d'en découdre. Et ceux qui font des manières. Et ceux qui quêtent l'applaudissement. Ainsi de suite. Tous ceux-là sont de peu de poids.

Puis, il y a ceux sur qui on peut compter. Ceux qui jouent pour l'équipe. Ils accomplissent leur besogne et savent l'assurer sans tricher. Ils apportent au jeu de la dignité. Et du plaisir.

Ceux-là ne sont jamais pesants. Ils pèsent leur poids juste, ni moins ni plus.

En fin de compte, des hommes comme eux, il n'y en a pas lourd.

En jouant au foot, j'ai appris quelques principes que je tiens pour importants. En particulier, rechercher la vérité du geste, ne pas en rajouter. Éviter les chichis. Jouer simple, c'est-à-dire fluide.

Certes, il est beaucoup plus difficile d'être simple et fluide que d'être obscur et tourmenté. Atteindre la limpidité demande un long travail. Mais l'efficacité est à ce prix. Tant pis si les gogos et les naïfs ne le voient pas.

Il faut en somme ne pas se prendre pour ce qu'on n'est pas. Ne pas jouer pour épater la galerie. Jouer pour le jeu. Pour « faire vivre le ballon ».

Donc ne pas tirer la couverture à soi, rendre la politesse, tenter des ouvertures pour appeler le jeu là où il n'est pas encore et là où se précipite cependant déjà un partenaire.

Je me demande si le foot ne parle pas d'écriture.

Le foot m'a peut-être appris à écrire.

Mise en page :
Françoise Pham

Imprimé en Italie
par G. Canale & C.S.p.A.
Borgaro T.se (Turin)
Dépôt légal : Mai 2002
N° d'édition : 12826

ISBN 2-07-053609-2

Loi n° 49-956 du 16 juillet 1949
sur les publications
destinées à la jeunesse

Jean-Noël Blanc vit et travaille à Saint-Etienne, comme sociologue spécialisé dans l'architecture et l'urbanisme.

S'il adore les chats au point d'en faire une de ses sources d'inspiration favorites, il aime aussi écrire sur le sport des livres qui s'adressent aux adultes comme aux jeunes.

Jean-Noël Blanc a déjà publié :
LANGUE DE CHAT (Pocket),
LE TOUR DE FRANCE N'AURA PAS LIEU (Le Seuil),
JEU SANS BALLON (Le Seuil),
TIR AU BUT (Le Seuil),
et chez Gallimard Jeunesse :
90 MINUTES POUR GAGNER,
FIL DE FER LA VIE,
BARDANE PAR EXEMPLE,
CHAT PERDU.

Ville de Montréal

**Feuillet
de circulation**

À rendre le

24 MAR 08		
02 OCT		

06.03.375-8 (05-93)